나만 몰랐던 교사교육과정

(익산교사교육과정연구회 지음)

나만 몰랐던 교사 교육과정(익산교사교육과정연구회)

발 행 | 2024년 1월 2일
저 자 | 익산교사교육과정연구회
펴낸이 | 한건희
펴낸곳 | 주식회사 부크크
출판사등록 | 2014.07.15.(제2014-16호)
주 소 | 서울특별시 금천구 가산디지털1로 119 SK트윈타워 A동 305호
전 화 | 1670-8316
이메일 | info@bookk.co.kr

ISBN | 979-11-410-6346-7

www.bookk.co.kr

나만 몰랐던
교사교육과정

익산교사교육과정연구회 지음

미래 사회를 살아갈 우리 아이들이 오늘의 학교에서 키워야 할 핵심 역량은 '주도성'이고 이는 교사의 '주도성'을 전제로 한다. 가르치는 행위에 대한 주체성을 경험하지 못한 교사가 일상의 수업에서 학생 주도성을 기르게 하기는 어려울 것이다. 그런 면에서 우리 지역 교사들의 교육과정 개발 실천 사례 도서 발간은 퍽 반가운 소식이다. 각각의 교실에서 만나는 아이들로부터 출발한 교육과정, 아이들을 배움의 주체로 세우는 수업, 그리고 다시 교육과정과 수업을 돌아보는 평가, 일련의 과정들을 기꺼이 열고 나누는 실천 기록으로 우리는 함께 성장할 것이다.

다소 허무맹랑해 보일지라도 백 명의 교사가 백 개의 교육과정을 만들고 실천하고 다시 만드는 과정을 넘어 만 명의 학생 하나 하나의 삶 이야기가 담긴 만 개의 교육과정이 교실에서 꽃 피어나길 기대하며 선생님들이 교육과정 수행자에 그치지 않고 교육과정 개발자로 실천가로 연구자로 자리매김해 나가는 걸음 걸음을 응원한다. 짝! 짝! 짝!

함열초 노영윤

전문직에 들어와서 운이 좋게도 '교육과정'과 관련된 업무를 맡아 왔다. 선생님들의 의견을 담아 정책을 기획하고 안내하는 입장이지만 나의 교육과정 운영은 7년 전에 멈춰있었던 것이 사실이다. 그래서 항상 정책을 교실해서 실현하고 학생의 성장을 돕는 선생님들께 감사한 마음이다. 익산 교사교육과정 연구회 활동을 함께 하면서 회원들이 과거의 시행착오를 되돌아보고, 현재의 실천을 나누며 자신만의 교육과정 만들어 가는 모습은 늘 감동적이었다. 그리고 자신들만의 빛나는 교육과정을 들고 계시는 미래가 선명하게 그려졌다.

연구회의 땀이 담긴 이 책은 마치 '교사교육과정 이렇게 쉬운지 저만 몰랐어요!'라며 동료 교사들에게 함께 하자고 손을 내미는 것처럼 느껴진다. 나는 그 손들을 더 많은 선생들과 얼기설기 엮어주고 싶다.

익산교육지원청 이옥형

차례

제1장

교사교육과정 논의

제2장

교사교육과정의 실천(1~4학년)

제3장
교사교육과정의 실천(5~6학년)

교사교육과정 논의

교사교육과정 심포지엄은 가능한가? - 어양초 박정기

교사교육과정은 동음이의어이다 - 함열초 강성화

교사 교육과정, 심포지엄[1]은 가능한가?

교사 교육과정을 디자인하다.-실천편, 교육과정 디자인 연구소, 테크빌 교육

1부 시끌벅적 교사 교육과정 만들기

1장 교육과정 계획하기

저자는 여섯 가지의 질문을 통해 교사 교육과정을 계획하는 일이 무엇인지 드러내고자 한다. 저자의 질문들을 살펴보자.

"교사 교육과정을 개발하는데 정해진 절차나 방법이 있나요?", "계획한 교과 시수가 실제랑 똑같나요?", "주제는 어떻게 정하나요?", "주제는 꼭 성취기준으로 만들어야 하나요?","학생들의 흥미와 요구는 어떻게 교육과정에 반영하나요?","성취기준에 도달하면 잘 가르친 걸까요?"

저자가 제시하고 있는 질문들은 거칠게 표현하면 교사 교육과정을 만드는데 필요한 자원의 출처와 내용 그리고 기준에 관한 질문이다. 그리고 그것에 관한 저자의 답은 비교적 명확하다. 첫째, 교사 교육과정을 개발하는데 있어 절차와 방법이 따로 있지 않다. 둘째, 만들어가는 교육과정이라는 관점에서 계획한 시수와

---

1) 심포지엄 (Symposium)은 특정한 문제에 대하여 두 사람 이상의 전문가가 서로 다른 각도에서 의견을 발표하고 참석자의 질문에 답하는 형식의 토론회이다.

같을 필요가 없다. 셋째, 주제 선정에 있어 교과, 교사, 사회(상황), 학생에서 필요에 따라 선정할 수 있다. 넷째, 교사 교육과정의 주제가 성취기준을 근거로 구성되어야만 하는 것은 아니다. 다섯째, 진정한 의미에서 교육과정에 학생의 흥미와 요구를 반영한다는 것은 학생에게 좋은 과제를 제시함으로써 학생의 노력을 유도하고 그 과정에서 발생하는 반성적 사고가 일어나도록 하는 것이다. 마지막으로 성취기준의 도달과 배우는 과정의 궁극적 목표는 일치하지 않으며, 성취기준 중심의 객관적 도달 여부와 더불어 성취기준을 통해 무엇을 왜 배우는가에 대한 목표와 개념적 가치를 명료하게 해야 한다고 말한다.

위와 같은 말하기가 가지는 함의는 교사 교육과정의 구상에 있어 가장 중요한 것은 가르치는 자의 교육과정에 대한 문해력과 학생에 대한 앎과 이해라는 것이다. 이런 관점에서 볼 때, 다음 문장은 몇 가지 의문을 남긴다.

끝으로 학생은 학습의 가장 직접적인 주체이자 필요한 배움을 가장 적합하게 말해 줄 수 있는 존재다. 학생 역시 중요한 주제 선정의 원천이다. 그러나 주제 원천에 대한 현장 연구 결과를 살펴보면, 학생은 교과, 교사, 환경에 이어 가장 낮은 순위에 머물러 있다. (이원님 · 정광순, 2021) 우리는 학생을 교육적 대상이자 수동적 객체에서 교육 당사자이자 능동적인 주체로 전환해야 함을 충분히 인지하고 있지만, 주체의 원천으로 제대로 활용하지 못하고 있다. (후략) (p.32-33)

저자는 이런 문제를 해결하기 위해 두 가지를 제안한다. 첫째, 교육과정에 여백을 두어 학생들을 교육과정 개발에 참여시킴으로서 교육과정의 주체로서 학생들의 주도성을 강화할 수 있다. 둘째, 주제를 학생들과 함께 계획함으로써 교과와 상황에 대한 교사의 전문성과 학생들의 필요와 요구를 결합하는 것이다.

학생들을 능동적이고 적극적인 행위 주체로 세운다는 점에서 전향적인 제안이라고 생각한다. 저자가 제안하는 대로 되었으면 좋겠다. 그런데 왜 바람직할 뿐만 아니라, 이론의 여지가 없어 보이는 제안이 현실에서는 실현하기 어려운 꿈같은 것으로 여겨질까?

사실, 대한민국에서 제도적으로 마련된 학교, 교실이라는 공간 그리고 선발된 교사가 빚어내는 수업의 빛깔은 '교사 교육과정'이 빚어내려고 하는 빛깔과 근본적으로 다르다. 우리의 시도는 마치 빛이 사라진 잿빛 세상에 다시 빛을 만들고 세상에 본연의 색들을 찾아주려고 하는 일과 같다고 할 수 있다. 현실적으로 교사 교육과정에 맞는 수업을 시도할 때, 형식과 내용의 불일치를 겪는 것은 당연한 일이라고 할 수 있다. 학교에서는 교사를 원하고, 나는 아이의 사회(司誨)[2)]가 되고 싶기 때문에 갈등할 수밖에 없다. 현재 교육이라고 규정된 관념, 학교 제도, 교재, 관리자[3]와 동료 교사들, 학생들, 학부모들과 갈등한다. 심하게 말하면 나를 둘러싼 거의 모든 존재자와 갈등하게 된다. 갈등하지 않는다면 그것이 더 큰 문제라고 말할 수 있다. 왜냐하면 내가 추구하는 일의 기준과 각 개별자가 가지고 있는 기준, 혹은 교육과 관련해 집단적으로 형성된 기준[4]이 다르기 때문이다. 그런데 안타까운 것은 이 다른 기준들을 언어를 통해 설명하려고 시도할수록 관계는 더욱 악화된다는 것이다. 언어의 해상도와 인식의 해상도가 다르기[5]때문에 오해되거나, 알아들을 수 없는 말로 인식하게 된다.

출구가 없는 것일까?

소위 교사 교육과정이 지향하는 수업을 제대로 하는 것은 요원한 것일까? 아니면 우리가 부대끼고 있는 교육적 현실을 탓하며 적당히 타협하며 살아야만 하는 것일까?

---

2) 깨우치는 일을 맡은 사람

3) 나는 개인적으로 이 말을 매우 혐오한다. 관리자라는 말은 근대의 전형적인 산물이다. 이 말을 사용하는 한, 학교 안에 존재하는 모든 존재자는 감시와 통제의 대상일 뿐이다. 나는 이 말을 들을 때마다 파놉티콘이 떠오른다.

4) '문화'라고 혹은 '집단의식'이라고 해도 좋겠지만 '기준'에 방점을 두는 글이기 때문에 이렇게 표현한다.

5) 뇌 과학의 연구에 따르면 언어의 해상도와 인식의 해상도 차이는 1:9 정도를 보인다. 다시 말해 내가 인식하고 있는 것이 100이라면 그 중에서 언어로 표현할 수 있는 것은 10퍼센트에 불과하다는 것이다.

내가 보기에 열린 문은 하나뿐인 것으로 보인다. 언어를 통해 그 문을 여는데 한계가 있다면, 한계 속에서 내가 하는 일을 보여 주는 일로 가능하다. 다시 말해 실행을 같이하는 것을 통해 가능하다[6]는 것이다. 동료와 함께 교과, 교사, 사회(상황), 학생에 대하여 제대로 파악하고 있는지 끊임없이 토론하고, 이를 통해 교육과정 아이디어를 수립하고 실행하고 실패하는 일을 반복하는 것으로 어렴풋이 전달될 뿐이다. 교사 교육과정으로 아이들의 삶을 성장시키고자 할 때 진짜로 직면해야 하는 것은 실행을 막고 있는 외부가 아니라 실행을 미루고, 시행착오를 두려워하고, 토론을 시도하지 않는 우리의 내면일 것이다. 이러한 이유로 교사 교육과정에 관한 구상 혹은 계획의 성패는 토론의 정도에 따라 정해지게 된다.

저자가 지적하는 것처럼 학생들이 스스로 배우는 능동적인 주체가 되도록 수업을 구성하고 수업의 다양한 요소들을 유기적으로 묶어내는 것이 교사 교육과정의 요체라면, 교사 교육과정은 결국 교과에 대한 문해력, 교사의 수업 철학, 사회적 상황에 대한 분석력을 넘어 학생에 대한 우리의 이해가 어느 정도이고,

---

6) 언어로 표현하는 일을 멈추자는 것이 아니다. 오히려 적극적으로 언어를 사용해야 한다. 그런 의미에서 현재 교사 교육과정의 과정들을 언어로 옮기는 일이 매우 부진하다고 할 수 있다. 다만 지적하고 싶은 것은 언어로 표현된 것이 전부라는 생각을 경계해야 한다는 것이다.

그 이해는 제대로 된 것인가? 라는 질문을 반드시 통과해야 한다고 본다.

따라서 우리가 매일의 수업을 역동적이고 살아있는 것으로 만들고, 그 과정을 톺아보기[7]위해서 아이들에 대한 우리의 이해를 한 단계 높이지 않을 수 없다. 순간 순간 변화하는 아이에 대한 관찰을 멈추지 않는다면, 비록 그것이 미숙한 이해라 할지라도 아이에게 닿는 수업을 구상하리라 기대할 수 있다. 이렇게 볼 때, 우리의 눈과 입 그리고 아이들 손에 문제의 해답이 놓여있는 것이다.

그러나 이러한 문제들을 인식하고, 문제를 해결하려는 실천 의지는 아이들을 하나하나 살피기에 턱없이 부족한 시간과 넘치는 업무로 인해 피곤한 눈과 귀를 갖게 된 나라는 장벽을 넘어서야 현실이 된다. 그렇기에 이 글을 쓰고 있는 내가 그렇듯 오늘 모인 선생님들은 결국'자신'을 넘어서기 위해 서로의 어깨를 빌리고 있는 셈이다.

아이들이 교실로 들어온다. 오늘따라 아이들의 표정이 다양하다. 활짝 웃으며 반갑게 인사하는 아이, 수줍은 듯 고개를 숙이고 천천히 들어오는 아이, 인상을 찡그리고 들어오는 아이, 피곤한 듯 어깨를 늘어뜨리고 들어오는 아이.....

---

7) 샅샅이 훑어가며 살피다.

처음 보는듯한 낯선 풍경이다.

나와 아이라는 구분 없이 서로 배우고, 깨치는 일이 수업을 통해 이뤄진다면 얼마나 좋을까? 한 송이 꽃을 들고 말없이 서 있는 가운데 아이와 내가 주고받는 미소가 있는 만남을 기대한다. 나아가 우리의 오늘이 그런 만남이기를 기대한다.

다시 묻는다.

" 아이를 기반으로 하는 교사 교육과정, 심포지엄은 가능한가? "

교사교육과정은 동음이의어이다.

함열초 강성화

교사교육과정을 바라보는 두 가지 시선이 존재한다고 생각합니다. 이 두가지 관점은 뒤이어지는 글을 이해하기 쉽게 설명하기 위한 편의상 구분입니다. 교사가 다루는 실제(학생)을 보는 시선은 뒤섞일 수 밖에 없습니다. 따라서 이 발제는 교사교육과정에서 '무엇을 놓치지 말아야 하는지' 또는 '무엇을 더 중점에 두어야 하는가?'라는 문제에 대한 소소한 소견이라고 생각합니다.

헤겔이라는 학자는 역사의 발전을 변증법(정반합)으로 설명합니다. 정반합은 기존에 있던 정론이 반론과의 갈등을 통해 정론과 반론이 배제되고 합론으로 나아간다는 뜻입니다. 이런 관점에서는 세상은 항상 발전하고 있습니다.

이 관점에 따른다면 발전하는 시대에 맞추어 교육도 변해야 합니다. 그리고 발전되고 달라진 세계를 학생들이 받아들일 수 있도록 해야 합니다. 국가 수준의 성취기준을 학생들이 더 잘 받아들일 수 있도록 노력해야 합니다. 그래서 무엇보다 교사에게 필요한 것은 시대의 흐름에 맞는 교육방법과 교육과정 문해력이 됩니다. 세상의 변화에 발 맞추어가는 교육과정 문해력 중심의 교사교육과정입니다. 시대를 반영한 교육적 내용을 학생들에게 어떻게 가르칠지가 중요하게 됩니다.

반면에 사람의 내면과 인간관계의 본질은 시대에 흐름과 무관하다고 생각할 수 있습니다. 이런 시선에는 내면의 성장과 사람사이의 가치를 가르쳐야 한다고 생각합니다. 이 관점은 보이지 않는 본질과 가치를 다루기 때문에 학생들을 국가수준의 성취기준이나 교육내용 보다 개개인 내면의 성장에 목적을 둡니다. 즉, 학생이 보여주는 모습이 아닌 보여주는 모습 안에 있는 내면에 대한 추론이 지표가 됩니다. 이런 관점에서는 교사 교육과정은 학생 중심 교육과정으로 가기 위한 단계 또는 방법이 됩니다.

즉, 변화하는 미래를 준비하는 과정에서 사회적 요구를 실천하기 위해 교육과정 문해력이 중심에 있는 교사교육과정이 있는 반면에 학생 이해를 바탕으로 학생 중심의 수업으로 가기 위한 교사교육과정이 있습니다. 이 관점은 뜻이 다름에도 같은 말로 사용되고 있습니다. 그래서 이 둘을 구분할 필요가 있습니다. 무엇이 더 우선순위에 있어야 하는가? 에 대한 질문에 답하기 위해서입니다.

교사교육과정의 실천

1학년 동시 읽기를 통한 초기문해력 지도

이리팔봉초 교사 이은희

1학년 동시 읽기를 통한 초기문해력 지도

이리팔봉초 교사 이은희

1학년 담임교사의 고민

1학년 교육과정에서 가장 중요한 배움은 기초 문식성 교육이다. 기초 문식성(basic literracy)은 한글 문해를 포함하여 짧은 글을 읽고 이해하며, 자신의 생각을 문장으로 쓸 수 있는 정도의 기초적 수준의 읽기, 쓰기 능력으로 초등학교 1-2학년 학생들이 도달해야 할 능력이다. 기초 문식성의 핵심적인 능력은 '한글 문해'이다. 한글 문해는 낱말 수준은 읽기 쓰기 활동을 통해 이루어지며 기계적인 읽기, 쓰기뿐만 아니라 그 낱말의 의미를 아는 것으로 '문자를 음성화, 의미화하는 초기 읽기와 음성을 문자로 기록하고, 낱말의 의미를 알고 쓸 수 있는 초기 쓰기를 포함하는 능력으로 '초기 문해'라는 용어를 사용하기도 한다. 문식성이란 사전적으로는 글을 읽고, 쓰고, 이해하는 능력을 의미하지만 단순히 글을 이해하고 표현하는 것을 넘어 읽기와 쓰기에 대한 태도까지 포함한다. 듣기, 말하기, 읽기, 쓰기는 배움의 바탕이 되는 것이며 문화를 향유하기 위한 기본 능력이다. 그래서 1학년 한글교육은 중요하며 1학년 담임교사에게는 깊은 고민에 빠지게 하는 부분이다.

1학년 한글 문해는 왜 중요할까요?

우리 1학년 아이들에게 한글 문해는 왜 중요할까요? 첫째, 한글 해득의 성공 경험은 사회생활에 있어서 긍정적인 태도를 형성하고 의사소통의 기본이 되기 때문이다. 둘째, 초등교육에서의 학습은 문자언어를 바탕으로 하기 때문에 1학년 학생들의 학습자로서의 성패는 문자언어문화에 얼마나 잘 적응하느냐에 달려 있다고 할 수 있다. 단순히 읽고 쓰는 기능적인 의미를 넘어서 학습자로서 학교 교육에 적응하게 하는 중요한 기제가 된다. 셋째, 초등 저학년은 문식성을 발달시킬 수 있는 결정적 시기로 읽기와 쓰기와 기능하는 뇌의 급격한 성장 시기이기 때문이다. 넷째, 한글 문해 능력은 학생들의 친교와 공동체형성에도 영향을 미치기 때문이다. 한글 미해득학생의 경우 학습부진이 누적되어 학교생활 전반과 정서적 측면에서 부정적인 영향을 미치는 것은 배움 활동 속에서 쉽게 확인할 수 있다.

우리 학급은?

■ 지리적 특성: 익산시, 중소도시, 도시 변두리 아파트단지

■ 학교규모: 17학급, 전교생 330명 1학년 3학급

■ 학생실태: 남 11명, 여 5명 총 16명, 집중력이 낮은 편으로 남학생이 많아 산만한 편이고 운동, 놀이를 좋아한다. 유튜브를 즐겨 보거나 마인크래프트 등의 게임을 즐김. 3월, 4월 '한글 또박또박'으로 읽기능력을 진단한 결과 취학 전 기초한글을 습득한 학생이 남자 5명, 받침 없는 글자를 읽는 수준의 학생은 남자 4명, 여자 4명이며 완전 미해득학생은 남자 2명, 여자 1명이다. 이 중 남학생 1명은 조음장애가 있다.

교사의 의도

1학년 교육과정은 다른 학년과 달리 특별하다. 3월에 입학하면 학교생활에 필요한 규칙과 약속을 배워 학교에 적응하고 친구와 사이좋게 지낼 수 있는 활동과 학습에 필요한 최소한의 기초적인 학습기능을 익히는 입학초기적응활동과 함께 1학년 한글책임교육에 배정된 57시간 중 1학기에 51시간에는 한글 공부에 몰입한다. 수년간 1학년 담임교사로 학기초 국어시간 한글교육을

통해 한글 미해득 아이들의 읽기, 쓰기 독립이 가능하리라는 희망을 가져 보았지만 언어 환경에 노출이 적었던 아이들이 51시간의 학습만으로는 한글 해득에 어려움이 크다는 것을 경험하며 좌절하였다. 따라서 올해 신입생은 내년부터는 적용되는 2022 개정교육과정 국어과 수업시수 확대에 따라 우리 학교에서는 1학년 국어과 수업시수를 초기문해력 향상을 위해 창의적체험활동에서 34시간을 감축하고 국어과 시수를 증배하여 총 91차시의 한글문해 프로젝트를 설계하였다. 훈민정음 창제 원리에 따른 찬찬한글을 바탕으로 한글을 배우면서 발음중심으로 자모의 모양과 소리의 관계를 이해하고 배운 것을 낱말을 모으고 더 나아가 우리말의 아름다움을 느끼면서 한글을 배우게 하고 싶은 바람을 담아 동시 속에서 자음과 모음을 찾고 동시 읽기를 통한 기초문해력 향상 '또박또박 한글놀이'프로젝트를 계획하였다. 더불어 '시 읽는 교실' 사업과 연계하여 시를 낭독하는 수행과제를 통해 학생이 자모의 이름과 소릿값을 알고 우리말과 우리 글을 바르게 사용하고 우리말의 아름다움을 느끼는 기회를 주고 싶었다.

또박또박 한글놀이 지도 계획

주제	또박또박 한글놀이	핵심역량	기초문해능력과 국어 생활	
소주제	활동 및 활동 내용, 평가(★)	시수 총시수	교과 국어	비고
선을 그려요	선을 그려요 - 자유선 그리기 선을 그려요 - 곧은 선 그리기 선을 그려요 - 뻗은 선 그리기 선을 그려요 - 기울어진 선 그리기 선을 그려요 - 꺾인 선 그리기 선을 그려요 - 굽은 선 그리기 선을 그려요 - 달팽이 선 그리기 선을 그려요 - 동그라미 그리기	8	(8)	입학초기 적응 활동 연계
모음 친구	ㅏ, ㅓ 다지기 ㅗ, ㅜ 다지기 ㅡ, ㅣ 다지기 ㅑ, ㅕ 다지기 ㅛ, ㅠ 다지기 모음 다지기	12	12	찬찬한글 모음노래 말놀이동시(동요) 그림책(창체)
자음 친구	어금닛소리1,2(ㄱ, ㅋ, ㄲ) 혓소리 1, 2(ㄴ, ㄷ, ㅌ, ㄸ) 입술소리 1,2(ㅁ, ㅂ, ㅍ, ㅃ) 잇소리 1(ㅅ, ㅈ, ㅊ) 잇소리 2(ㅆ, ㅉ) 목구멍 소리(ㅇ, ㅎ, ㄹ) 자음 다지기 글자가 사라진다면	20	20	찬찬한글 자음노래 말놀이동시(동요) 그림책(창체)
받침 친구	받침소리(ㅁ, ㅂ받침) 받침소리(ㅇ, ㄱ받침)	11	11	동시,

주제	또박또박 한글놀이	핵심역량	기초문해능력과 국어 생활	
소주제	활동 및 활동 내용, 평가(★)	시수 총시수	교과 국어	비고
	받침소리(ㄴ, ㄹ받침)			말놀이동시(창체연계)
	받침소리(ㄷ받침)			
	받침가족(ㅂ, ㅍ- ㄱ, ㄲ, ㅋ-ㄷ, ㅅ, ㅆ, ㅈ, ㅊ, ㅌ, ㅎ받침가족)			
낱말 친구	소릿값과 글자의 짜임 알고 낱말 만들기1	6	6	★글자, 낱말, 문장을 정확한 발음으로 소리 내어 읽고, 글자를 자형에 맞게 바르게 쓰기(관찰, 구술, 포트폴리오)
	받침이 없는 낱말로 놀이하기			
	글자의 짜임 알고 낱말 만들기2★			
	받침이 있는 낱말로 놀이하기★			
	재미있는 말놀이1(시낭송하기)★			
복잡한 모음 친구	ㅐ, ㅔ, ㅒ, ㅖ	6	6	
	ㅘ, ㅝ, ㅟ, ㅢ			
	ㅞ, ㅙ, ㅚ			
	단어읽기			
겹받침 친구	겹받침1(ㄲ, ㅆ, ㄱㅅ, ㅂㅅ, ㄴㅈ, ㄴㅎ)	10	10	2학기
	겹받침2(ㄹㄱ, ㄹㅁ, ㄹㅂ, ㄹㅌ, ㄹㅎ)			
	재미있는 말놀이2-끝말잇기놀이★			
한글 또박또박	한글또박또박 1차 평가(3월)가형	4	4	1학기 *찬찬한글 읽기검사
	한글또박또박 2차 평가(7월)가형			
	선생님과 함께 읽어요(국어활동)			2학기
	한글또박또박 3차 평가(12월)나형			
문장 쓰기	문장으로 쓰기-그림일기쓰기, 단원별 주요 어절, 문장 받아쓰기, 읽기유창성	14	14	1-2학기 *글똥누기
합계 시수		91	91	

*찬찬한글을 중심으로 홀소리(모음)익히기-닿소리(자음) 익히기-받침 없는 글자 짜임 익히기-복잡한 모음 익히기-소리 내어 읽기-받침 글자 익히기-문장 익히기-소리 내어 읽기-자신이 한 일이나 생각, 느낌을 글로 쓰기 순으로 지도하였다.

왜 동시로 한글을 익힐까요?

첫째, 짧은 동시는 읽기에 부담이 적다.

둘째, 동시는 언어적 상상력을 자극하고 음악적인 리듬감이 있어 낭독의 즐거움을 느낄 수 있다.

셋째, 한글 자음, 모음과 관련된 말놀이 동요가 많다. 특히 최승호 시인의 말놀이 동시는 말놀이 동요로 유튜브 영상에 탑재되어 노래를 부르면서 동시를 낭독할 수 있다.

* 말놀이 동요와 더불어 핑크○ 한글해득 노래도 재미있는 영상과 노랫말로 아이들에게 말의 재미를 느낄 수 있어 학생들의 자발적인 참여를 이끌었다.

동시읽기를 통한 문해력 향상 관련 성취기준

성 취 기 준	
듣기 · 말하기	[2국01-05] 말하는 이와 말의 내용에 집중하며 듣는다.
읽기	[2국02-01] 글자, 낱말, 문장을 소리 내어 읽는다. [2국02-02] 문장과 글을 알맞게 띄어 읽는다. [2국02-05] 읽기에 흥미를 가지고 즐겨 읽는 태도를 지닌다.
쓰기	[2국03-01] 글자를 바르게 쓴다.
문법	[2국04-01] 한글 자모의 이름과 소릿값을 알고 정확하게 발음하고 쓴다. [2국04-04] 글자, 낱말, 문장을 관심 있게 살펴보고 흥미를 가진다.
문학	[2국05-01] 느낌과 분위기를 살려 그림책, 시나 노래, 짧은 이야기를 들려주거나 듣는다. [2국05-03] 여러 가지 말놀이를 통해 말의 재미를 느낀다. [2국05-05] 시나 노래, 이야기에 흥미를 가진다.

동시 활용 지도 계획

분류		동시 제목	출처	시기
홀소리	ㅏ	나	최승호 말놀이동시집1	3월-4월
	ㅓ	퍼	최승호 말놀이동시집1	
	ㅗ	보리, 오솔길	최승호 말놀이동시집1	
	ㅜ	부엉이/우산	최승호 말놀이동시집1	
	ㅑ	야구	최승호 말놀이동시집1	
	ㅕ	여우	최승호 말놀이동시집2	
	ㅛ	요가	최승호 말놀이동시집5	
	ㅠ	퓨마	최승호 말놀이동시집5	
	ㅡ	그네/으스름	최승호 말놀이동시집1	
	ㅣ	이야기	최승호 말놀이동시집1	
	종합	원숭이	최승호 말놀이동시집3	
닿	ㄱ	거미	최승호 말놀이동시집1	4월

소리	ㅋ	코뿔소/스컹크	최승호 말놀이동시집2	-5월
	ㄲ	까치	최승호 말놀이동시집1	
	ㄴ	너구리	최승호 말놀이동시집3	
	ㄷ	다리/달팽이	최승호 말놀이동시집1	
	ㅌ	터져라	최승호 말놀이동시집1	
	ㄸ	오뚝이는 왜	최승호 말놀이동시집1	
	ㄹ	도롱뇽	최승호 말놀이동시집2	
	ㅁ	청소	최승호 말놀이동시집3	
	ㅂ	보리	최승호 말놀이동시집1	
	ㅍ	판다/구멍 없는 피리	최승호 말놀이동시집2	
	ㅃ	빵	최승호 말놀이동시집3	
	ㅅ	사자	최승호 말놀이동시집1	
	ㅈ	졸음	최승호 말놀이동시집3	
	ㅊ	날치	최승호 말놀이동시집1	
	ㅆ	씨앗	동요	
	ㅉ	소쩍새	최승호 말놀이동시집3	
	ㅇ	이구아나	최승호 말놀이동시집2	
	ㅎ	허수아비	최승호 말놀이동시집1	

분류		동시(노래) 제목	출처	시기
받침소리	ㅁ받침	감나무	최승호 말놀이동시집3	6월 -7월, 2학기
	ㅁ받침	저녁과 밤	박성우 우리 집 한 바퀴	
	ㅂ받침	밥도 가지가지	안도현 냠냠	
	ㅍ받침	학교 앞 비둘기	김개미 어이없는 놈	
	ㅇ받침	콧노래	최승호 말놀이동시집2	
	ㄱ받침	사막	최승호 말놀이동시집3	
	ㅋ받침	왜가리	유강희 손바닥 동시	
	ㄴ받침	번데기	정유경 까만 밤	
	ㄹ받침	올챙이	최승호 말놀이동시집2	
	ㄷ받침	숟가락	김환영 깜장 꽃	
	ㅅ,ㅊ받침	도라지꽃	송찬호 초록 토끼를 만났다	
	ㅌ받침	별나라(해노래)	전래동요	

	ㅅ받침	쳇바퀴	최승호 말놀이동시집5	
	ㅎ받침	쇠똥구리	최승호 말놀이동시집2	
이중모음	ㅐㅔ	개똥벌레 똥똥	전래동요	6월 -7월
	ㅖ	계속-계단	박성우 첫말 잇기 동시집	
	ㅒㅖ	얘기꾼 할아버지	핑크○	
	ㅝ	원숭이 유치원	핑크○	
	ㅟ	쥐를 잡자	핑크○	
	ㅙ	돼지	최승호 말놀이동시집2	
	ㅘ	과학자 치와와	핑크○	
	ㅚ	구두쇠	최승호 말놀이동시집4	
말의 재미	어휘확장	꿀떡-꿀떡꿀떡	박성우 첫말 잇기 동시집	7월, 2학기
	어휘확장	쟁이	권오삼 라면 맛있게 먹는 법	
	어휘확장	짝짓기	권오삼 라면 맛있게 먹는 법	
	시의 감각	속삭인다	최승호 말놀이동시집4	
	시의 재미	한 번에 쭈우욱	권오삼 라면 맛있게 먹는 법	
	시의 재미	호랑이_이야기	박성우 끝말잇기 동시집	

*한글 문해 활용한 동시집

최승호의 말놀이 동시집 1-5, 말놀이동요집1,2 /박성우의 첫말 잇기 동시집, 끝말잇기 동시집/권오삼 라면 맛있게 먹는 법/유강희 손바닥 동시/안도현의 냠냠/문삼석 그냥/문혜진 말놀이(의태어 , 의성어) 동시집 등

1학기 말에 '시 읽는 학급'에 선정되어 동시낭송 작가님의 동시 낭송 수업을 들을 수 있게 되었다. '동시 낭송가' 되어 보기 활동을 수행평가 과제로 하고 있어서 학생들에게는 좋은 기회가 되었다. 시 읽는 학급에서 지원되는 예산으로 2학기에는 어린이 시 필사집을 구입하여 아침에 등교하면 시를 소리 내어 읽고 따

라 쓰도록 하였다. 매일 책읽기 과제와 함께 매월 1-2번은 집에서 가족들 앞에서 소리 내어 읽도록 지도하여 학생들의 읽기 능력 향상과 한글 문해 지도에 대한 학부모님의 관심을 이끌었다.

동시집	말놀이 동시집	말놀이 동요집

이렇게 지도했어요.

첫째, 찬찬한글과 신나는 한글 공부(*인디스쿨 자료 활용)로 원리 익히고 오늘의 글자 소릿값 알기, 하늘 공책에 낱말쓰기

둘째, 또박또박 한글공부 책 만들어 읽기(동시+낱말사전)

오늘의 글자(모음, 자음) 시읽기-따라 읽기(교사, 친구)-함께 읽기- 친구와 번갈아 가며 읽기(줄줄이 읽기)- 혼자 읽기

셋째, 오늘의 시-배운 모음, 자음 표시하며 읽기

(자음은 첫소리와 받침소리를 구분하여 지도, 첫소리→받침소리:대표받침→받침가족)

넷째, 낱말 사전 - 오늘의 글자가 들어간 낱말 5개 이상 모으기

다섯째, 오늘 배운 글자를 색연필로 순서대로 쓰기

(검정-빨강-파랑-초록) 1쪽에 8-10글자 쓰기

*쓰는 순서를 말로 하며 쓰기-(ㄱ)윗꺾기, (ㄴ)아래꺾기, (ㅎ)옆으로 옆으로 동글, (ㅊ)옆으로 옆으로 빗겨 내리기

여섯째, 노래 부르기, 낭송하기

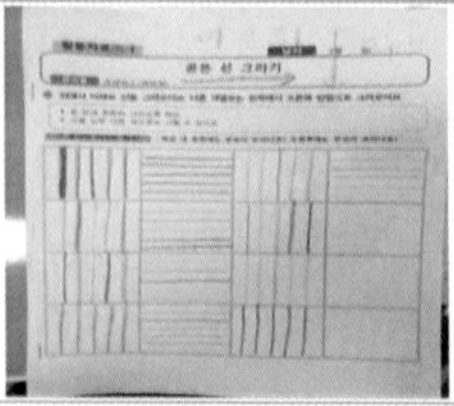

선긋기

신나는 한글공부 제작

또박또박 한글공부책

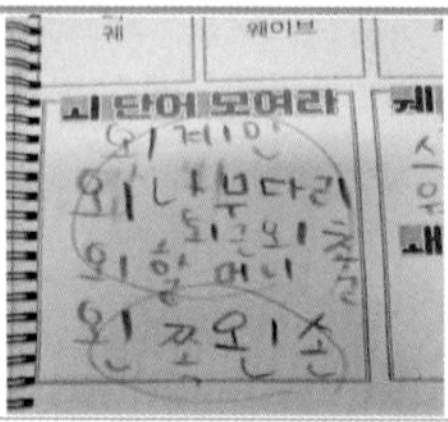

신나는 한글공부

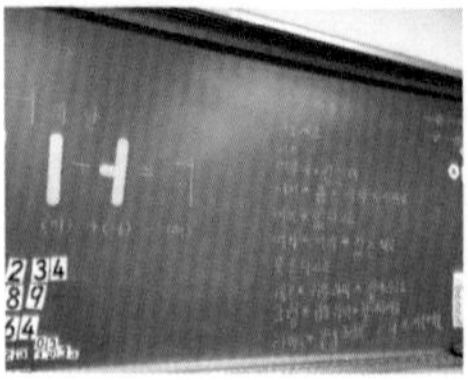

오늘의 글자(ㅓ)

함께 낱말모으기

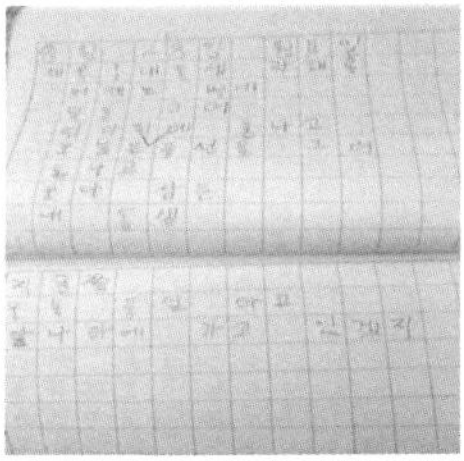

아침시 따라쓰기

동시 에코백 만들기

시와 그림

어린이시 따라쓰기

어린이시 따라쓰기

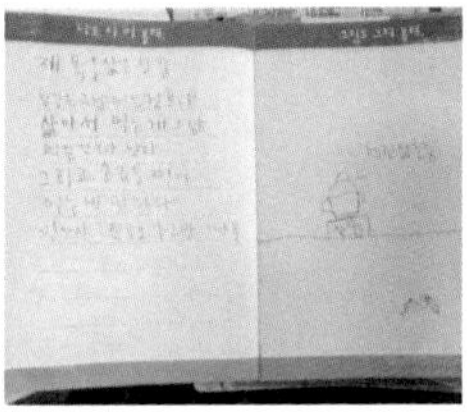

나도 시인!

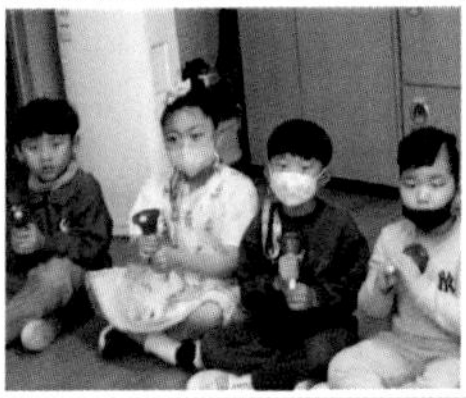

핸드벨연주와
동시(도롱뇽)

아침 시읽기
-안녕하詩오

시(詩)-집 가다

동시 낭송 수업

몸으로 동시 낭송하기

동시 낭송하기

여름 방학을 앞두고 학급 장기자랑과 시낭송 발표회를 개최하였다. 방학 전 만난 시낭송 선생님의 수업 덕분에 아이들의 시낭송은 더욱 풍성해졌다. 가방에 시집을 넣어 가지고 다니기도 하고 책상 위에 있는 시집을 소리 내어 읽고 따라 쓰며 글똥누기 공책을 시똥누기 공책이라면서 자신만의 시를 쓰는 학생들도 있었다. 자신의 생각이나 느낌을 일기 쓰듯 표현하는 친구들도 있었지만 2학기에 흉내 내는 말을 배운 후에는 말의 재미를 느낄 수 있는 시를 쓰기도 하고 자신의 마음을 비추는 시를 쓰는 학생들도 있었다. 수업시간에 썼던 '좋겠다' 시 바꿔쓰기 활동 후 시낭송 선생님의 도움으로 소년문학에 학생의 시가 실리는 '가문의 영광'을 갖게 되는 친구도 있었다. 좋은 어린이시를 필사하면서 내가 쓴 시들도 모아서 개인 시집을 만들고 있다.

평가 및 피드백

수행과제: 모음자와 자음자를 익히며 배운 시를 친구들 앞에서 낭송하기

시낭송 발표회 | 시낭송 발표하기 | 동시 낭송하기

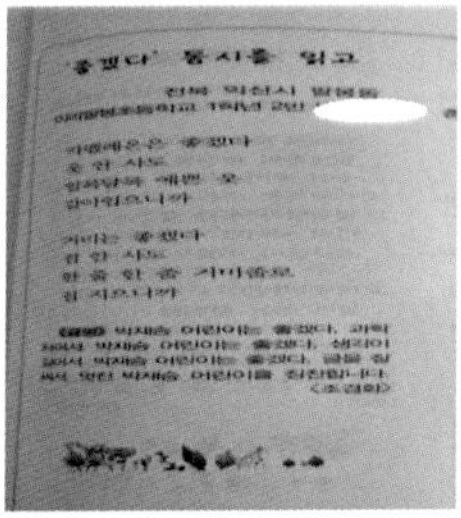

소년 문학 - 좋겠다 | 우리들의 처음시집 | 시화

〈참고문헌〉
1학년교육과정(이리팔봉초등학교, 2023)
동시에 고리걸기(전국국어교과연구회, 삶말, 2022)
말놀이 동요집1,2(방시혁, 비룡소, 2019)
말놀이 동시집1-5(최승호, 비룡소, 2018)
초기문해력 지도자료 - 우리 아이 읽기·쓰기 어떻게 지도할까?
한글교육 길라잡이(이경화, 미래엔 총서, 2020)

교사교육과정의 실천

1학년 생태·환경 프로젝트 수업 '행복한 가을 잠자리'

이리영등초 교사 장주희

1학년 생태·환경 프로젝트 수업 '행복한 가을 잠자리'

이리영등초 교사 장주희

학생 분석

호기심과 에너지가 넘치는 1학년 입니다. 부모님들의 세심한 관심 속에서 자라고 있는 아이들이라 학습 의욕도 뛰어나고 새로운 것을 배우는데 주저함이 없습니다. 도심에 살지만 가족들과 캠핑을 즐기는 아이들이 많고, 매일 변하는 날씨과 계절의 변화에 따른 환경의 작은 변화도 알아차리는 섬세함을 갖고 있습니다.

교사의 철학

교육의 목적은 건강한 사회적 자립이라고 생각합니다. 이러한 생각을 바탕으로 해당 학년의 발달 단계와 교육과정을 삶과 연결지어 진정한 배움이 일어날 수 있는 수업을 구상하고, 실천 후 피드백 해나가며 아이들과 함께 성장하고 있습니다.

특히 올해 1학년을 지도하면서는 삶의 가장 기초가 되는 생활습관들을 바르게 만들어주고, 또래 및 어른들과 바르게 관계 맺는 법을 배우고 실천할 수 있는데 중점을 두고 있습니다. 나아가 평생 동안 내 생각의 주머니가 되어줄 한글에 대해 이해하고, 이를 바르게 읽고 쓰는 연습을 통해 학습의 토대를 만들어주는데 힘을 쏟고 있습니다.

교육과정-수업-평가-피드백

1. 수업 개관

2015 개정교육과정의 1학년 통합교과는 봄, 여름, 가을, 겨울이라는 4개의 대주제로 구성되어있습니다. 내용적으로는 각 계절의 변화와 그에 따른 삶의 변화, 더불어 학교 적응, 가족, 이웃, 우리나라를 각 교과서에 나누어 담고 있습니다. 하지만 이중 특이하게도 가을의 교과서만이 계절을 하나의 중주제로 삼지 않고, 추석이라는 주제 안에서 작게 다루고 있습니다. 추석이라는 민족의 큰 명절을 다루다 보니 가을 에 대한 내용이 축소되어 실리게 된 것이라 추측합니다.

그럼에도 교사의 입장에서 '가을'이라는 주제는 매우 매력적입니다. 봄에서 여름으로 넘어가는 1학기 에는 아이들을 학교 생활에 적응시키는데 더 집중했다면 가을을 만끽할 수 있는 10월은 아이들이 학교에 적응하여 교사와 재미있는 수업을 할 수 있는 황금기이기 때문입니다. 더불어 가을은 최근 대두되는 환경과 생태 교육의 필요성과 결합하여 생태 수업을 하기에도 적합한 시기입니다. 여러 곡식이 하루가 다르게 여물어 가는 모습은 물론, 다양한 동식물을 관찰하러 체험을 나서기에도 좋은 때입니다. 낙엽이 지고, 단풍이 아름다운 빛으로 물들어가는 가을의 풍경은 기분 좋은 날씨와 함께 아이들의 여러 감각을 자극하기 더없이 좋은 소개입니다. 교과서'가을'의 아쉬움을 보완하고, 생태계의 변화를 알아차리는 환경 교육을 통해 아이들이 온 몸과 마음으로 계절의 변화를 느낄 수 있도록 수업을 계획하게 되었습니다.

2. 수업의 흐름

[1차시] 가을 동요를 듣고 경험 떠올리기

가을 동요를 들으며 가을하면 떠오르는 것들을 이야기해 보았습니다. 잠자리나 단풍에 관한 노래가 많다는 것을 찾아내고, 이와 관련된 아이들의 경험을 나누었습니다. '캠핑장에가는데 이제 밤이 되면 추워졌다'거나, '학교에 있는 나무들의 색이 변화하고 있다'는 등 삶 속에서 계절의 변화를 느낄 수 있는 경험들을 함께 이야기 나누었습니다.

[2-3차시] 사물놀이 악기 연주해 보기

가을하면 떠오르는 것 중 하나가 풍성한 수확의 기쁨입니다. 교과서에도 추석과 연계하여 사물놀이를 다루고 있고, 학교에 악기들도 다 갖추어져 있기에 직접 악기별 연주법을 배우고 익히는 시간을 마련하여 보았습니다. 이 시기에 학교 예술 교육 프로그램과 연계한 사물놀이 공연을 보기도 했지만, 직접 만져보고 연주해보는 것이 가장 오래 기억이 남는 경험이리라 생각했습니다. 악기를 연주한 후에는 농민들의 수고로움에 감사하는 마음을 나누어 보았습니다.

사물놀이 공연 관람	사물놀이 악기 연주 하기

[4-5차시] 가을 전통 놀이

강강술래와 투호놀이를 함께 해 보았습니다. 추석시기에 맞추어 강강술래를 읽히고, 낙엽을 밟으며 전통 놀이 중 하나인 투호 놀이를 진행했습니다. 강강술래는 2학기 교과서에도 나오지만 추석에 맞추어 진행하는 것이 더 의미있다고 생각하여 가을에 배우게 지도하게 되었습니다. 투호는 조상들이 중앙절(음력 9월 9일)에 많이 하던 놀이로 계절에 맞는 전통 놀이이면서도 아직은 소근육보다 대근육을 쓰는 놀이는 좋아하는 1학년의 발달 단계에도 맞는 놀이라고 생각합니다. 두 놀이 모두 가을을 온 몸으로 느낄 수 있는 전통놀이였습니다.

[6차시] 동식물 미니 북 만들기

교과서 활동 카드로 미니 북을 만들며 가을에 볼 수 있는 동식물들을 살펴보았습니다. A4용지를 대문 책으로 만들고 비슷한 식물과 동물끼리 모아 붙였습니다. 완성한 후에는 비슷하지만 다른 점은 무엇이 있는지 함께 찾아보기도 하고, 영상 자료를 보며 동물들이 사는 곳, 먹기, 울음 소리 등에 대해 배웠습니다.

강강술래 놀이

투호 놀이

[7-8차시] 가을 잠자리 만들기

가을의 대표적인 곤충인 잠자리를 만들며 이해하는 활동입니다. 잠자리의 다양한 특징을 알아보고 에폭시와 셀로판지, 긴 고무줄을 활용해 가을 잠자리를 만들어 보았습니다. 어린이 체험용으로 팔고 있는 제품을 구입하여 준비 과정은 힘이 들지 않았지만, 1학년이라 어깨에 맞게 고무줄을 다 메어주어야 했습니다. 모양을 만든 후 채색을 하는 과정에서 잠자리의 특징이라고 할 수 있는 날개와 꼬리, 눈 등을 실감나게 표현해 보았습니다.

[9-13차시] 생태숲체험

숲 해설가 선생님과 함께 학교 주변의 생태 숲으로 견학을 떠났습니다. 직접 만든 잠자리를 어깨에 메고 가을 숲 속의 잠자리가 되어 친구들을 만나러 갔습니다. 지난 차시 만들었던 미니 북 속의 동식물들을 찾아보며 빙고놀이도 해 보았습니다. 지렁이, 잠자리, 메뚜기 등을 직접 관찰하보며 동물의 특징을 살펴보기도 하고, 숲을 지키기 위해 우리가 할 수 있는 일을 생각해보기도 했습니다. 관찰하는 틈틈이 솔방울, 도토리 등의 가을 식물을 채집해 다음 수업을 준비했습니다.

미니북과 함께한 생태 체험

잠자리 날개 메고 생태 체험

[가정과의 연계]

숲 체험이 끝난 후에는 아이들에게 '우리 집 숲 해설가' 될 기회를 주었습니다. 직접 만든 잠자리 날개를 메고, 오늘 숲에서 보았던 동식물들을 가족들에게 소개해 볼 수 있도록 과제를 냈습니다. 자녀 교육에 관심도가 높은 학부모님이다 보니 주말에 가족과 다시 같은 숲을 방문하여 직접 가족들에게 숲을 설명해준 친구들도 있었습니다. 학교에서의 배움이 가정과 연결되면서 삶 속에 하나가 되는 수업이 되길 바랐습니다.

[14-15차시] 가을 리스 만들기

아이들이 찾아온 가을 소재와 교사가 준비한 나뭇가지로 가을 리스를 만들어 보았습니다. 먼저 개인 별로 한 줄을 만든 뒤 나무가지에 연결하여 모둠 별로 하나의 리스는 만들었습니다. 자연물은 가급적 떨어진 것을 활용하고, 마른 후에도 형태가 유지되는 것들을 찾아 걸었습니다. 종이나 플라스틱으로 만든 가을 모빌이 더 튼튼하지만, 자연의 것을 그대로 활용하여 질감과 색감을 고스란히 느끼도록 해 주고 싶었습니다. 다 만들어진 리스는 교실에 걸어두고 가을 분위기를 느끼며 가을 수업을 마무리하였습니다.

가을 리스 소재 찾기

아이들이 만든 리스

3. 평가 및 피드백

주제와 관련된 교육과정의 성취기준은 다음과 같습니다.

[2바06-02] 추수하는 사람들이 수고에 감사하는 태도를 기른다.
[2슬06-02] 여러 가지 자료를 활용하여 가을의 특징을 파악한다.
[2즐06-02] 가을에 관련한 놀이를 한다.
[2즐 06-03] 여러 가지 민속 놀이를 한다.

이에 맞추어 평가 역시 관련 내용을 깊게 다루는 부분에 진행하였습니다. 사물놀이 악기를 배우며 추수의 즐거움과 농부들의 수고로움에 대해 이야기를 나누는 서술형 평가를 진행했고, 숲 체험 활동과 리스 만들기를 하며 가을의 특징을 잘 파악하고 있는지 확인했습니다. 가을과 관련되지 않은 소재를 수집한 아이들의 경우 가을에만 볼 수 있는 자연물을 모으라고 다시 피드백을 해주었습니다. 강강술래와 투호 놀이를 하면서는 다양한 놀이 규칙에 대해 잘 알고 지키며, 친구들과 즐겁게 놀이에 참여하는 지를 평가하였습니다. 1학년임을 감안해 서술형 평가보다는 수업 중 실제 수행을 관찰하거나 구술로 아이들의 이야기를 들어보는 형태로 평가를 진행하였습니다.

수업 성찰

15차시 동안 우리 아이들은 듣기, 연주하기, 노래하기, 놀이하기, 쓰기, 그리기, 칠하기, 만들기, 붙이기, 걷기, 냄새 맡기, 촉감 느끼기, 설명하기 등의 다양한 오감 활동을 통해 가을을 온 몸으로 느껴보았습니다. 이 과정에서 자기주도성을 바탕으로 배움과 삶이 연결되는 깊이있는 학습을 경험하고, 이를 통해 통합 교과의 다양한 성취 기준을 이수하는 것은 물론 환경과 생태의 보존 가치를 온 몸으로 느낄 수 있었습니다.

사랑스러운 일학년 오반 잠자리들의 가을이 행복한 배움의 시간으로 오래도록 기억되길 바랍니다.

교사교육과정의 실천

1학년 한글 해득 수업 실천 사례

이리초 교사 김수연

1학년 한글 해득 수업 실천 사례

이리초 교사 김수연

학생분석

2023학년도 학급 편성시엔 특별 조항이 있었습니다. 바로 1학년의 경우, 학급당 최대 학생수를 20명으로 정한 것이였습니다. 이런 수혜를 받아, 우리반 학생은 15명, 이상적인 숫자로 한 해를 시작하게 되었습니다.(동학년 있는 학교에서, 학급 학생 수가 2#가 아닌, 1#는 처음 경험하는 일이었습니다.)

어린이집 또는 유치원을 경험하고 학교에 입학한 친구들이라, 선생님 말씀을 잘 들으려 노력하는 자세를 지녔습니다. 다만, 1학년인만큼, 사회성 발달과 소근육발달 측면에서 개인별로 큰 차이를 보여 학교 적응에 큰 차이를 보였습니다.

우리 반은 남학생 8명, 여학생 7명으로 구성되었습니다. 이 중 자기 이름을 글씨가 아닌, 사진처럼 외워 그리는 아이는 3명이었습니다. 그래서 그 친구는 자기 이름에 '수'가 들어가 있어도 '가수'를 읽지 못했습니다.

발생적 문해력

"문해력의 뿌리"라고도 불리는 발생적 문해력은 태어난 직후부터 입학하기 전까지 지속적으로 발달합니다. 발생적 문해력 시간에 가장 큰 영향을 주는 것이 가정의 문해 환경입니다. 가정에서 문자를 접하는 모습, 책을 읽거나 문자로 표현했던 일, 말놀이를 통해 소리를 다루거나 글자와 연결했던 일은 학생마다 달랐을 것이고, 그 경험들이 각기 다른 발달격차로 나타납니다. 식물의 뿌리가 우리 눈에 보이지 않았던 것처럼, 문해력의 발달 양상과 수준도 눈에 띄지 않다가 입학을 계기로 드러나게 됩니다. 라일리(Riley,1996)의 연구 결과에 따르면 입학 직후 문해력 발달 격차는 최대 5년까지 발생한다고 합니다. 어떤 아이가 만 3세 수준의 읽기 능력을 보일 때, 교실의 다른 아이는 만 8세 수준의 읽기를 할 수 있다는 뜻입니다.

교사의 철학

교직 생애 처음으로 1학년 담임을 맡게 되어,

1. 친절한 말과 따뜻한 표정
2. 개개인에게 응답하는 맞춤형 응답
   (=각자에게 1번씩, 15번 반복하자!)

두 가지를 지키려 노력했습니다.

교육과정

1학년 1학기 국어 수업의 목표를 "한글해득"으로 잡고, 한글을 처음 배우는 학생을 기준으로 수업 계획을 잡았습니다.

찬찬한글을 주 교재로 삼고, 10칸노트와 찬찬한글 익힘책을 발췌해서 글씨를 써보며 바른 획순 확인 및 소근육 발달을 희망했습니다. 모음송,자음송 등 노래로 배운 내용을 익혀보고, 종이접기로 글자를 표현해보고, 동시를 읽는 성취감도 맛보았습니다.

(수학 4. 비교하기 단원에선 [넓습니다, 짧습니다, 많습니다] 등을 써야 했습니다. 아직 국어시간엔 받침 없는 단어 공부하는데, 대표 받침도 아닌 복잡한 받침이 나오는 말들을 써야만 하는 상황들이, 많은 친구들에겐 도전으로 느껴졌습니다.)

시기	학습 내용
3월	*종이 접기로 만나는 모음 글자(종이접기 활용) *몸으로 표현하는 모음(모음 동요) *기초 모음(찬찬한글) *말놀이 동시(모음활용)
4월	*종이 접기로 만나는 자음 글자(종이접기 활용) *몸으로 표현하는 자음(자음 동요) *자음(찬찬한글)
5월	*받침없는 단어 읽기(찬찬한글) *말놀이 동시(받침 없는 단어 위주) *복잡한 모음(찬찬한글)
6월	*복잡한 모음 단어 읽기(찬찬한글) *대표 받침(찬찬한글)
7월	*대표 받침 단어 읽기(찬찬한글) *복잡한 받침(찬찬한글)

1학년 학습지 정리를 어찌할까 고민하다 노란 파일을 구매했습니다. 그래서 처음에 학습지를 배부하고, 모두 맞은 학생들 학습지는 2공 펀치로 구멍을 뚫어줘서, 자기 파일에 넣으라고 하니, 학습지 정리도 되고, 자기가 학습지 수정을 해야하는지도 본인이 알 수 있었습니다. 다만, 철사(?)를 자꾸 구부렸다 폈다하니, 철사이 끊어져서 모든 학생의 철사를 철심으로 교체해줘야만 했습니다. 그리고 2달에 1번씩 학습지를 묶어서 가정으로 보내어 공부한 내용을 공유했습니다. (이렇게 자료로 쓰일 줄 몰라, 그냥 가정에 배부해서 자료가 부실해졌습니다ㅜ)

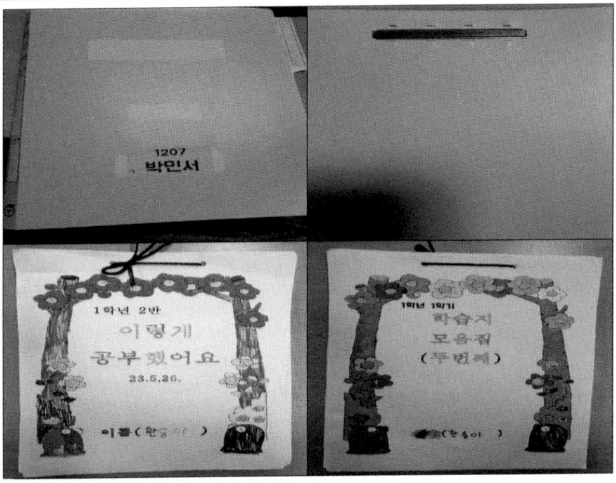

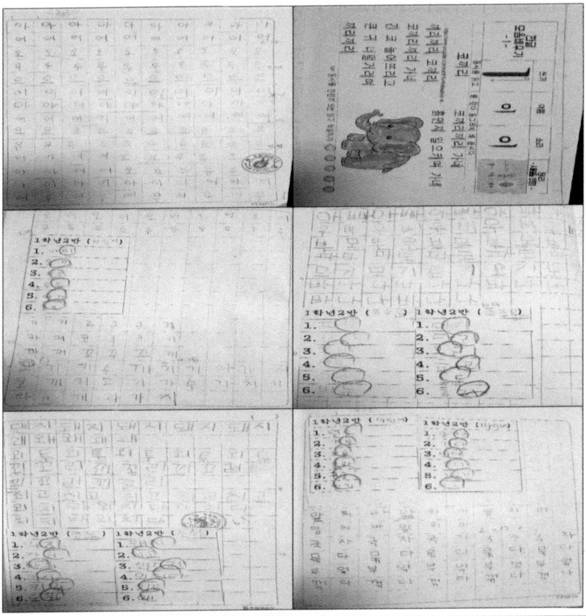

찬찬한글과 익힘책을 익히고, 노트에 단어를 써보고, 배운 6개 낱말을 뜯고 써보기도 했습니다.

평가 및 피드백

7월에 한글해득검사를 하라는 공문이 왔길래, 일부러 여름방학 동안 집에서 더 성장해오길 바라며 개학 후 8월에 검사를 진행했습니다. 결과는 예상대로 3명의 친구가 미도달로 나왔습니다.

3월 초엔 모든 활동의 목표를 학교 적응으로 하느라, 한글 해득 수준에 대해 자세하게 살펴본 것은 3월 중순 이후였습니다. 그때부터 3명의 친구가 두드러지길래, 따로 공부하자고 보호자와 상의하였으나, 다들 학원 스케줄이 잡혀서 따로 공부가 힘들다고 거절하셨습니다. 그래서 학교에서 아침 시간에 잠깐 짬내서 지도할테니, 가정에서도 함께 지도해주시라고 상담드렸으나, 학생들에게 물어보면 한글 공부 안했다는 대답만 듣게 되었습니다. 사실 보호자 입장에서 미리 정해 놓은 자녀의 하교 이후 스케줄을 수정하는 것이 쉽지 않음을 이해못하지는 않으나, 지금 한글 해득이 안되면 당장 2학기부터 학생이 너무 힘들어질텐데 하는 생각에 안타까운 마음이 컸습니다.

10월에 받아쓰기를 시작했습니다. 다만 그 3명의 친구들은 문장이 아닌 간단한 단어로 따로 받아쓰기를 나눠서 진행합니다.

사전에 사람마다 능력치가 다름에 대해 이야기 나누고 각자가 잘하는 것들에 대해 이야기 나누고, 받아쓰기도 그래서 다르게 진행할 거라고 안내했습니다. 아직 진행형이지만, 우리반 친구들은 각자의 받아쓰기에 진지하게 임합니다. 조금 더 진행하면, 우리 반 친구들이 그림일기에 썼던 문장으로 받아쓰기를 해 볼 계획입니다. 하루 하루의 노력이 쌓여 12월에 있을 한글해득검사에선 3명의 친구도 모두 "한글해득"의 결과를 받게 되길 희망합니다.

교사교육과정의 실천

1학년 1년살이 계획과 '여름'관련 프로젝트 운영 계획

이리모현초 교사 김희경

1학년 1년살이 계획과 '여름'관련 프로젝트 운영 계획

이리모현초 교사 김회경

학생분석

1학년 학생들의 특성에 따른 **지도 전략** 세우기

1. 딱딱한 의자에 앉아 몇 시간씩 공부하는 것이 힘들다.
   ♕**지도전략:** 산책 활동을 통해 바깥에서 자유롭게 놀 수 있는 시간을 제공한다.
2. 배려와 기다림의 교육이 필요하다.
   ♕**지도전략:** 학생 한 명 한 명에게 관심을 기울이고, 더딘 학생들이 스스로 해 낼 수 있도록 기다려 준다.
3. 머리와 몸의 비율이 1:6이므로 균형감각을 키우기 위한 놀이 활동을 한다.
   ♕**지도전략:** 양팔 벌리고 선따라 걷기, 앞 친구와 간격 맞춰 걷기 등 다양한 방법의 걷기를 놀이의 형태로 지도한다.
4. 모방력이 강하다.
   ♕**지도전략:** 교사의 말과 행동이 늘 모범이 되도록 한다.
5. 자신의 생각과 감정을 의식하지 않고, 직관적으로 있는 그대로 말한다.
   ♕**지도전략:** 바른 인성을 갖출 수 있도록 관련 이야기를 들려주

고, 그림책을 읽어준다.

♕**지도전략:** 일관된 훈육 태도를 지니되, 학생 각자의 기질을 고려하여 지도한다.

6. 미분화된 사고와 감각을 지니고 있다.

♕**지도전략:** 전체에 초점을 맞추어 각 교과 내용 가르친다.

7. 행동에 의한 학습을 중심으로 수업한다.

♕**지도전략:** 온몸으로 배우고 익히도록 수업을 구성한다.

8. 감정이 발달하기 시작하는 단계이다.

♕**지도전략:** 교사의 살아있는 풍부한 이야기를 통해 상상력을 길러준다.

♕**지도전략:** 예술감성교육(포르멘, 습식수채화, 노래부르기, 시낭송, 리듬활동 등)

9. 소근육의 발달이 진행중이다.

♕**지도전략:** 유토 활용, 작은 글씨 쓰기가 힘듦으로 처음에는 크레용이나 색연필을 사용해 글씨 쓰기 훈련을 한다.

※참고자료: 아이들이 살아있는 교육과정(2016), 김용근, 물병자리

❖기질에 따른 지도 전략 세우기

기질을 통해 학생의 타고난 특성을 분석하여, 그에 맞는 수업을 계획하여 지도하였다.

우리 반은 4가지 기질 중 점액질 8명, 담즙질 5명, 우울질 5명, 다혈질 3명으로 구성되어 있다. 점액질 특성상 변화를 싫어하고, 나태한 모습을 보일 수 있기 때문에 매일 반복적인 활동을 위주로 하고 과제에 대한 점검을 수시로 하며 기본생활 습관이 형성되도록 지도하였다.

☞ **기질이란?**

성격의 타고난 특성과 측면들을 말하며, 또한 타고난 성질이라는 점과 오래간다는 측면에서 기질은 특질과 유사하다.

☞ **기질의 종류:** 담즙질, 다혈질, 점액질, 우울질

교사의 철학

나는 우리 반 아이들이 기초·기본이 바르고, 예술을 즐기며, 배려와 나눔을 스스로 실천하기를 바란다. 이를 위해 다음과 같은 학급 목표를 세우고 1년간 아이들과 함께 노력해 보고자 하였다.

1. 기본 생활 습관이 몸에 배어 자연스럽게 드러나도록
2. 시와 노래를 사랑하고, 신체 표현활동은 즐겁게
3. 배려와 나눔이 일상이 되도록

위 3가지 목표를 이루기 위해 가장 중요한 것은 교사의 '학생에 대한 관심과 애정'이다. 사람의 마음은 자신도 모르게 은연중에 드러나기 때문에 진심으로 아이를 사랑하고 걱정하는 마음이야말로 교사나 부모가 지녀야 할 가장 큰 덕목이 아닐까 싶다.

교육과정 운영의 실제

1. 계획하기

가. 1년 동안의 교육과정 내용 구조화하기

교과 활동	창의적체험활동	교육중점 활동	특색교육 활동
<국어> 한글교육(통합) 글쓰기(듣,쓰) 발표하기(읽,말) 연극 <수학> 수세기 덧셈과 뺄셈 여러 가지 모양 비교하기 규칙 찾기 시계 보기 <통합-바슬즐> 사계절(절기교육) 학교 가족 이웃 우리나라	<자율> 학교, 학급 행사 인성인권교육 학교폭력예방교육 친교활동(생일축하) 1인 1역 <동아리> 공예(손감각기르기) 전시회 <봉사> 학교 행사 연계 교내외 봉사활동 <진로> 꿈끼탐색주간 <안전한생활> 나는 안전 으뜸이 우리모두 교통안전 소중한 나 우리 모두 안전하게 (재난대비)	<독서, 글쓰기> 그림책 활용 교육 도서관 이용 수업 독서기록장 기록 이야기 들려주기 시낭송, 시짓기 <인성인권교육> 옛이야기와 우화 들려주기 인성인권 그림책 읽기 역할놀이 친구 칭찬 릴레이 우리반 인성왕 (인성 덕목 활용)	<예술감성교육> 아침맞이(인사) 시 낭송 리듬활동(노래,율동) 포르멘(형태그리기) 습식수채화 산책

1학년 교육과정 내용 파악과 학생들의 발달 단계에 필요한 다양한 활동들을 구조화함으로써 전체적인 1년살이를 계획하고, 이를 토대로 월별 주제를 잡아보았다. 또한 학생들의 안정적이고 습관적인 생활 패턴을 만들어 주기 위해 1주일의 시간 계획도 만들어 매주 같은 요일에는 같은 교과 또는 활동을 할 수 있도록 계획하였다.

나. 월별 주제 만들기

2023학년도 1-5반 연간 프로젝트 운영 계획

월	프로젝트명	기간 총시수	교과 연계	관련 성취기준	주요학습내용	평가 계획	창체 연계	예술 감성
3	가고 싶은 학교	3.2.~4.1. 93 (+4)	(국어) 1. 바른 자세로 읽고 쓰기 3. 다함께 아야어여	듣기·말하기[2국01-05] 말하는 이와 말의 내용에 집중하며 듣는다. 읽기[2국02-01] 글자, 낱말, 문장을 소리 내어 읽는다. 쓰기[2국03-01] 글자를 바르게 쓴다. 읽기[2국02-05] 읽기에 흥미를 가지고 즐겨 읽는 태도를 지닌다. 쓰기[2국03-01] 글자를 바르게 쓴다. 문법[2국04-01] 한글 자모의 이름과 소릿값을 알고 정확하게 발음하고 쓴다.	[한글교육: 모음자 익히기] 1. 관련 그림책 읽어주기 2. 시, 노래, 이야기 들려주기 3. 글자 바르게 쓰기		자율: 인성인권, 학폭예방, 친구사랑주간, 안전교육 동아리: 공예	시낭송 리듬활동 포르맨 수공예 습식수채화 산책
			(수학) 1. 9까지의 수	[2수01-01] 0과 100까지의 수 개념을 이해하고, 수를 세고 읽고 쓸 수 있다. [2수01-03] 네 자리 이하의 수의 범위에서 수의 계열을 이해하고, 수의 크기를 비교할 수 있다.	1. 숫자 0-9 읽고, 쓰고, 세기 2. 수의 순서 알기 3. 1 큰 수와 1 작은 수			
			(통합) 봄-1. 학교에 가면	[바01-01] 학교생활에 필요한 규칙과 약속을 정해서 지킨다. [슬01-01] 학교 안과 밖, 교실을 둘러보면서 위치와 학교생활 모습 등을 알아본다. [즐01-02] 다양한 방법으로 교실을 꾸민다. [슬01-02] 여러 친구의 다양한 특성을 이해하고 친구와 잘 지내는 방법을 알아본다. [즐01-02] 친구와 친해질 수 있는 놀이를 한다.	1. 학교 적응 활동 2. 학교 내 시설물의 이름과 위치 알기 3. 학교와 학급의 규칙들 4. 안전생활지도 5. 친구와 사이좋게 지내는 방법 6. 교실 꾸미기 활동(사물함 꾸미기)	[2즐01-02] 다양한 방법으로 교실을 꾸민다. →[학교]학교 모습과 학교생활의 특징을 찾아 그림으로 표현할 수 있다.(교과서 42~43쪽)		
4	도란 도란 봉동산	4.3.~4.29 93 (+29)	(국어) 2. 재미있게 ㄱ,ㄴ,ㄷ	문법[2국04-01] 한글 자모의 이름과 소릿값을 알고 정확하게 발음하고 쓴다. 쓰기[2국03-01] 글자를 바르게 쓴다. 문학[2국05-03] 여러 가지 말놀이를 통해 말의 재미를 느낀다.	[한글교육: 자음자 익히기] 1. 관련 그림책 읽어주기 2. 시, 노래, 이야기 들려주기 3. 글자 바르게 쓰기	[2국05-03] 여러 가지 말놀이를 통해 말의 재미를 느낀다. →[2단원]자음자 놀이를 할 수 있다. (교과서 56~60쪽)	자율: 과학행사, 장애인식개선교육, 안전교육 동아리: 공예 봉사: 현장체험학습	시낭송 리듬활동 포르맨 수공예 습식수채화 산책
			(수학) 2. 여러 가지 모양	[2수02-01] 교실 및 생활 주변에서 여러 가지 물건을 관찰하여 직육면체, 원기둥, 구의 모양을 찾고, 그것들을 이용하여 여러 가지 모양을 만들 수 있다.	1. 여러 가지 모양(직육면체, 원기둥, 구) 알기 2. 생활 주변에서 여러 가지 모양 찾기 3. 모양을 이용해 '봉동산' 꾸미기	[2수02-01] 교실 및 생활 주변에서 여러 가지 물건을 관찰하여 직육면체, 원기둥, 구의 모양을 찾고, 그것들을 이용하여 여러 가지 모양을 만들 수 있다. →[2단원]모양의 순서를 보고 길을 찾을 수 있으며, 길을 따라가는 과정을 친구들에게 설명하며 놀이 활동에 흥미를 가지고 참여할 수 있다. (교과서 46~47쪽)		
			(통합) 봄-2. 도란도란 봄동산	[바02-02] 봄에 볼 수 있는 동식물을 소중히 여기고 보살핀다. [슬02-03] 봄이 되어 볼 수 있는 다양한 동식물을 찾아본다. [즐02-03] 봄에 볼 수 있는 동식물을 다양하게 표현한다. [슬02-04] 봄에 씨앗이나 모종을 심어 기르면서 식물이 자라는 모습을 관찰한다. [즐02-04] 여러 가지 놀이나 게임을 하면서 봄나들이를 즐긴다.	1. 봄의 동식물 알기 2. 식물이 자라는 모습 관찰하기 3. 봄의 동식물의 모습과 소리 표현하기 4. 봄에 할 수 있는 다양한 놀이 5. 봄나들이(운동장 주변, 현장체험학습 등) 6. 봄나들이에서 본 것과 한 것 표현하기	[2바02-02] 봄에 볼 수 있는 동식물을 소중히 여기고 보살핀다. →[봄]봄에 볼 수 있는 동식물을 소중히 여기고 보살필 수 있다. (교과서 70~71쪽)		
5	우리는 가족	5.1.~6.3. 103 (+27)	(국어) 4. 글자를 만들어요	읽기[2국02-01] 글자, 낱말, 문장을 소리 내어 읽는다. 쓰기[2국03-01] 글자를 바르게 쓴다. 문학[2국05-01] 느낌과 분위기를 살려 그림책, 시나 노래, 짧은 이야기를 들려주거나 듣는다.	[한글교육: 자음자 익히기] 1. 관련 그림책 읽어주기 2. 시, 노래, 이야기 들려주기 3. 자음자와 모음자를 합하여 글자 만들기 4. 글자 바르게 쓰기	[2국02-01] 글자, 낱말, 문장을 소리내어 읽는다. →[4단원]여러 가지 모음자를 알고, 글자를 읽고 쓸 수 있다. (교과서 110~111쪽)	자율: 체육대회, 다문화교육, 안전교육 동아리: 공예	시낭송 리듬활동 포르맨 수공예 습식수채화 산책
			(수학) 3. 덧셈과 뺄셈	[2수01-04] 하나의 수를 두 수로 분해하고 두 수를 하나의 수로 합성하는 활동을 통하여 수 감각을 기른다. [2수01-05] 덧셈과 뺄셈이 이루어지는 실생활 상황을 통하여 덧셈과 뺄셈의 의미를 이해한다.	1. 모으기와 가르기 2. 더하기 나타내는 방법 알기 3. 빼기 나타내는 방법 알기 4. 0을 더하거나 빼면 어떻게 될까?	[2수01-06] 두 자리 수의 범위에서 덧셈과 뺄셈의 계산 원리를 이해하고 그 계산을 할 수 있다. →[3단원]여러 가지 방법으로 덧셈뺄셈 [illegible]		

				[2수01-06] 두 자리 수의 범위에서 덧셈과 뺄셈의 계산 원리를 이해하고 그 계산을 할 수 있다	5. 덧셈과 뺄셈하기 6. 덧셈식과 뺄셈식 만들기	을 할 수 있다 (교과서 82~83쪽)		
			(통합) 여름-1 우리는 가족입니다	[바03-01] 가족 및 친척 간에 지켜야 할 예절을 실천한다 [슬03-01] 우리 가족의 특징을 조사하여 소개한다 [즐03-01] 가족 구성원이 하는 역할을 고려하여 고마운 마음을 작품으로 표현한다 [슬03-02] 나와 가족, 친척의 관계를 알고 친척과 함께 하는 행사나 활동을 조사한다 [즐03-02] 가족이나 친척이 함께 한 일을 다양한 방법으로 표현한다	1. 가족 사진 전시회 2. 가족을 부르는 말 3. 가족 소개하기 4. 가족 행사 조사하기 5. 가족과 친척에게 지켜야 할 예절 6. 고마운 가족에게 감사카드 만들기	[2즐03-01] 가족구성원이 하는 역할을 고려하여 고마운 마음을 작품으로 표현한다 →[가족]가족과 함께 한 일에 대해 소개할 수 있고 가족에 대한 감사의 마음을 표현할 수 있다 (교과서 62~63쪽)		
6	여름 나라	6.5.~7.1. 87 (+10)	**(국어)** 5. 다정하게 인사해요 6. 받침이 없는 글자 8. 소리내어 또박또박 읽어요	듣기·말하기[2국01-01] 상황에 어울리는 인사말을 주고받는다. 듣기·말하기[2국01-06] 바르고 고운 말을 사용하여 말하는 태도를 지닌다 문학[2국05-05] 시나 노래, 이야기에 흥미를 가진다 읽기[2국02-01] 글자, 낱말, 문장을 소리 내어 읽는다 쓰기[2국03-01] 글자를 바르게 쓴다. 문법[2국04-04] 글자, 낱말, 문장을 관심 있게 살펴보고 흥미를 가진다 읽기[2국02-02] 문장과 글을 알맞게 띄어 읽는다 문법[2국04-03] 문장에 따라 알맞은 문장 부호를 사용한다	1. 상황에 맞는 인사말 알기 2. 받침을 넣어 받침 있는 글자 만들기 3. 받침 있는 글자 바르게 쓰기 4. 문장 부호의 이름 알고 쓰기 5. 문장 부호에 따라 띄어 읽는 방법 알기	[2국01-01] 상황에 어울리는 인사말을 주고받는다. →[5단원]알맞은 인사말을 알고 바르게 인사할 수 있다. (교과서 132~135쪽) [2국04-04] 글자, 낱말, 문장을 관심있게 살펴보고 흥미를 가진다 →[6단원]받침이 있는 글자의 짜임을 알 수 있다. (교과서 156~161쪽)	자율: 호국보훈행사, 소방교육, 안전교육 동아리: 공예	사남송 리듬활동 포르멘 수공예 습식수채화 산책
			(수학) 4. 비교하기	[2수03-01] 구체물의 길이, 들이, 무게, 넓이를 비교하여 각각 '길다, 짧다', '많다, 적다', '무겁다, 가볍다', '넓다, 좁다' 등을 구별하여 말할 수 있다	1. 어느 것이 더 길고, 무겁고, 넓고, 더 담을 수 있는지 알아보기 2. 비교하는 방법 알기	[2수03-01] 구체물의 길이, 들이, 무게, 넓이를 비교하여 각각 '길다, 짧다', '많다, 적다', '무겁다, 가볍다', '넓다, 좁다' 등을 구별하여 말할 수 있다. →[4단원]친구들과 협력하는 태도를 지니고 도구를 이용한 간접 비교를 함으로써 높이 비교가 어려운 물건의 높이를 비교하는 문제를 해결할 수 있다. (교과서 104~105쪽)		
			(통합) 여름-2. 여름 나라 (pp.~123)	[바04-01] 여름철의 에너지 절약 수칙을 알고 습관화한다. [슬04-01] 여름 날씨의 특징과 주변의 생활 모습을 관련짓는다 [즐04-01] 여름의 모습과 느낌을 창의적으로 표현한다 [슬04-02] 여름에 사용하는 생활 도구의 종류와 쓰임을 조사한다 [즐04-02] 여름에 사용하는 생활 도구를 여러 가지 방법으로 표현한다	1. 여름철 생활모습 알기 2. 여름 날씨의 특징 알기 3. 에너지 절약 4. 여름 관련 노래 부르고, 놀이하기	[2슬04-01] 여름 날씨의 특징과 주변의 생활 모습을 관련짓는다. →[여름]여름철 날씨와 생활 모습을 살펴보고, 날씨와 생활의 관계를 알 수 있다. (교과서 106~109쪽)		
7	나는 시인	7.3.~9.11. 69 (+18) 여름방학식: 7.21.(금) 여름개학식: 9.11.(월)	**(국어)** 7. 생각을 나타내요 9. 그림일기를 써요	읽기[2국02-01] 글자, 낱말, 문장을 소리 내어 읽는다 쓰기[2국03-02] 자신의 생각을 문장으로 표현한다 쓰기[2국03-05] 쓰기에 흥미를 가지고 즐겨 쓰는 태도를 지닌다 쓰기[2국03-04] 인상 깊었던 일이나 겪은 일에 대한 생각이나 느낌을 쓴다 듣기·말하기[2국01-05] 말하는 이와 말의 내용에 집중하며 듣는다	1. 알맞은 낱말을 넣어 문장 완성하기 2. 그림 보고 문장 만들기 3. 친구들 앞에서 문장 소리 내어 읽기 4. 그림일기 쓰는 방법 알기 5. 겪은 일을 그림일기로 쓰기 6. 짧은 시 쓰고 발표하기	[2국03-05] 쓰기에 흥미를 가지고 즐겨 쓰는 태도를 지닌다 →[7단원]문장을 쓰고 소리 내어 읽을 수 있다 (교과서 198~203쪽)	자율: 안전교육 동아리: 공예 봉사: 여름방학식 진로: 꿈끼탐색주간	사남송 리듬활동 포르멘 수공예 습식수채화 산책
			(수학) 5. 50까지의 수	[2수01-01] 0과 100까지의 수 개념을 이해하고, 수를 세고 읽고 쓸 수 있다 [2수01-03] 네 자리 이하의 수의 범위에서 수의 계열을 이해하고, 수의 크기를 비교할 수 있다 [2수01-04] 하나의 수를 두 수로 분해하고 두 수를 하나의 수로 합성하는 활동을 통하여 수 감각을 기른다	1. 9 다음 수 알아보기 2. 십몇 알아보기 3. 모으기와 가르기 4. 10개씩 묶어 세기 5. 50까지의 수 세어보기 6. 수의 순서와 어느 수가 큰지 알아보기			
			(통합) 여름-2. 여름 나라 (pp.124~135)	[바04-01] 여름철의 에너지 절약 수칙을 알고 습관화한다 [슬04-01] 여름 날씨의 특징과 주변의 생활 모습을 관련짓는다 [즐04-01] 여름의 모습과 느낌을 창의적으로 표현한다 [슬04-02] 여름에 사용하는 생활 도구의 종류와 쓰임을 조사한다 [즐04-02] 여름에 사용하는 생활 도구를 여러 가지 방법으로 표현한다	1. 여름에 하고 싶은 활동 2. 여름 사진찍기 3. 여름 모습과 사람들의 생활 모습 그리기 4. 여름 전시회 등			

월	프로젝트명	기간 총시수	교과 연계	관련 성취기준	주요학습내용	평가 계획	창체 연계	예술 감성
9	추석	9.12.~9.30. 56 (+3)	(국어) 3. 문장으로 표현해요	쓰기[2국03-02] 자신의 생각을 문장으로 표현한다. 문법[2국04-03] 문장에 따라 알맞은 문장 부호를 사용한다.	1. 알맞은 말을 넣어 문장 만들기 2. 문장 부호의 쓰임 알기 3. 상황에 알맞은 말을 문장으로 표현하기 4. 상황에 대한 자신의 생각을 문장으로 표현하기	[2국04-03] 문장에 따라 알맞은 문장 부호를 사용한다. ⇒[3단원]문장부호의 쓰임을 알고 문장을 바르게 쓸 수 있다.(교과서 66~69쪽)	자율: 인성인권, 학폭예방, 친구사랑주간, 안전교육 동아리: 공예	시낭송 리듬활동 포르멘 수공예 습식수채화 산책
			(수학) 1. 100까지의 수	[2수01-01] 0과 100까지의 수 개념을 이해하고, 수를 세고 읽고 쓸 수 있다. [2수01-02] 일, 십, 백, 천의 자릿값과 위치적 기수법을 이해하고, 네 자리 이하의 수를 읽고 쓸 수 있다. [2수01-03] 네 자리 이하의 수의 범위 범위에서 수의 계열을 이해하고, 수의 크기를 비교할 수 있다.	1. 100까지의 수 알아보기 2. 수의 순서 알아보기 3. 짝수와 홀수 알기			
			(통합) 가을-1. 현규의 추석(pp.-113)	[2슬06-03] 추석에 대해 알아보고 다른 세시 풍속과 비교한다.	1. 추석에 대해 알아보기 2. 추석과 생남 비교하기 3. 떡 짜기 4. 클레이나 찰흙을 이용해 추석 음식 만들기	[2슬06-03] 추석에 대해 알아보고 다른 세시풍속과 비교한다. ⇒[가을]추석에 대해 알고 다른 세시풍속과 비교할 수 있다. (교과서 90~93쪽)		
10	우리 나라	10.2.~11.4. 103 (+3)	(국어) 1. 소중한 책을 소개해요 2. 소리와 모습을 흉내내요	읽기[2국02-05] 읽기에 흥미를 가지고 즐겨 읽는 태도를 지닌다. 쓰기[2국03-05] 쓰기에 흥미를 가지고 즐겨 쓰는 태도를 지닌다. 문학[2국05-05] 시나 노래, 이야기에 흥미를 가진다. 문학[2국05-03] 여러 가지 말놀이를 통해 말의 재미를 느낀다. 문법[2국04-04] 글자, 낱말, 문장을 관심 있게 살펴보고 흥미를 가진다.	1. 시를 읽고 재미있는 부분 찾기 2. 글 읽고 내용 파악하기 3. 재미있게 읽은 책 소개하기 4. 동물의 소리와 모습을 흉내 내는 말 5. 글을 읽고 여러 가지 받침 찾기	[2국05-05] 시나 노래, 이야기에 흥미를 가진다. ⇒[2단원]소리나 모양을 떠올리며 시·글을 읽을 수 있다. (교과서 44~51쪽)	자율: 한글날, 독도교육, 스포츠클럽, 안전교육 동아리: 공예 봉사: 현장체험학습	시낭송 리듬활동 포르멘 수공예 습식수채화 산책
			(수학) 2. 덧셈과 뺄셈 3. 여러 가지 도형	[2수01-05] 덧셈과 뺄셈이 이루어지는 실생활 상황을 통하여 덧셈과 뺄셈의 의미를 이해한다. [2수01-06] 두 자리 수의 범위에서 덧셈과 뺄셈의 계산 원리를 이해하고 그 계산을 할 수 있다. [2수02-03] 교실 및 생활 주변에서 여러 가지 물건을 관찰하여 삼각형, 사각형, 원의 모양을 찾고, 그것들을 이용하여 여러 가지 모양을 꾸밀 수 있다.	1 두 자리 수의 범위에서 덧셈과 뺄셈하기 2. 덧셈과 뺄셈 이야기 만들기 3. 여러 가지 모양(삼각형, 사각형, 원) 알기 4. 주변에서 여러 가지 모양 찾기 5. 여러 가지 모양을 이용해 꾸미기 (우리 나라 관련 상징물 꾸미기)	[2수01-06] 두 자리 수의 범위에서 덧셈과 뺄셈의 계산 원리를 이해하고 그 계산을 할 수 있다. ⇒[2단원]덧셈과 뺄셈을 하고, 같은 값의 식을 찾을 수 있다. (교과서 56~57쪽) [2수02-03] 교실 및 생활 주변에서 여러 가지 물건을 관찰하여 삼각형, 사각형, 원의 모양을 찾고, 그것들을 이용하여 여러 가지 모양을 꾸밀 수 있다. ⇒[3단원]여러 가지 모양과 관련된 문제를 해결할 수 있다. (교과서 70~71쪽)		
			(통합) 가을-1. 현규의 추석(pp.114-143) 겨울-1. 여기는 우리나라(pp.-47)	[2바06-02] 추수하는 사람들의 수고에 감사하는 태도를 기른다. [2슬06-02] 여러 가지 자료를 활용하여 가을의 특징을 파악한다. [2즐06-02] 가을과 관련한 놀이를 한다. [2즐06-03] 여러 가지 민속놀이를 한다. [2슬07-01] 우리나라의 상징과 문화를 조사하여 소개하는 자료를 만든다. [2즐07-01] 우리나라의 상징을 여러 가지 방법으로 표현한다.	1. 가을 곤충과 식물 살펴보고 우리짓기 2. 우리 놀이: 풍물놀이, 투호놀이, 강강술래 3. 추수하시는 분들께 감사의 마음 표현하기 4. 우리나라의 상징과 문화 조사하고 소개하기 5. 우리나라의 상징을 다양한 방법으로 표현하기	[2즐07-01] 우리나라의 상징을 여러 가지 방법으로 표현한다. ⇒[나라]우리나라의 상징을 여러 가지 방법으로 표현할 수 있다. (교과서 42~43쪽)		
11	우리는 친구	11.6.~12.2. 92 (+17)	(국어) 4. 자신있게 말해요 5. 알맞은 목소리로 읽어요 6. 고운 말을 해요	듣기·말하기[2국01-04] 듣는 이를 바라보며 바른 자세로 자신 있게 말한다. 문학[2국05-01] 느낌과 분위기를 살려 그림책, 시나 노래, 짧은 이야기를 들려주거나 듣는다. 읽기[2국02-01] 글자, 낱말, 문장을 소리 내어 읽는다. 문학[2국05-01] 느낌과 분위기를 살려 그림책, 시나 노래, 짧은 이야기를 들려주거나 듣는다. 듣기·말하기[2국01-05] 말하는 이와 말의 내용에 집중하며 듣는다. 듣기·말하기[2국01-06] 바르고 고운 말을 사용하여 말하는 태도를 지닌다. 듣기·말하기[2국01-01] 상황에 어울리는 인사말을 주고받는다. 문법[2국04-04] 글자, 낱말, 문장을 관심 있게 살펴보고 흥미를 가진다.	1. 바른 자세로 이야기를 듣는 방법 2. 듣는 이를 바라보며 자신 있게 말하는 방법 3. 인물의 마음을 생각하며 이야기 읽기 4. 글을 알맞게 읽는 방법 5. 친구들에게 좋아하는 글 읽어주기 6. 고운 말을 쓰면 좋은 점 7. 자신의 기분이 잘 드러나게 말하기 8. 듣는 이를 생각하며 어떤 말을 할지 생각하기 9. 역할놀이하기	[2국01-04] 듣는 이를 바라보며 바른 자세로 자신 있게 말한다. ⇒[4단원]장하는 것을 자신 있게 말할 수 있다. (교과서 114~117쪽)	자율: 장애인식개선교육, 재난대응훈련, 안전교육 동아리: 공예	시낭송 리듬활동 포르멘 수공예 습식수채화 산책

			(수학) 4. 덧셈과 뺄셈(2)	[2수01-05] 덧셈과 뺄셈이 이루어지는 실생활 상황을 통하여 덧셈과 뺄셈의 의미를 이해한다. [2수01-06] 두 자리 수의 범위에서 덧셈과 뺄셈의 계산 원리를 이해하고 그 계산을 할 수 있다. [2수01-08] 두 자리 수의 범위에서 세 수의 덧셈과 뺄셈을 할 수 있다.	1. 세 수의 덧셈과 뺄셈하기 2. 10이 되는 더하기 3. 10에서 빼기 4. 10을 만들어 더하기			
			(통합) 겨울-1. 여기는 우리나라(pp.48~65)	[2바07-01] 우리와 북한이 같은 민족임을 알고, 통일 의지를 다진다. [2슬07-02] 남북한의 공통점과 차이점을 비교한다. [2즐07-02] 남북한에서 하는 놀이를 하고, 통일을 바라는 마음을 다양하게 표현한다.	1. 남북한의 공통점과 차이점 알기 2. 통일이 필요한 이유 3. 통일이 된 우리나라에서 하고 싶은 것 4. 통일 비행기 접어 날리기			
12	우리들의 겨울	12.4.~12.30. 88 (0)	(국어) 7. 무엇이 중요할까요 8. 띄어 읽어요	읽기[2국02-03] 글을 읽고 주요 내용을 확인한다. 문법[2국04-04] 글자, 낱말, 문장을 관심 있게 살펴보고 흥미를 가진다. 읽기[2국02-02] 문장과 글을 알맞게 띄어 읽는다. 읽기[2국02-03] 글을 읽고 주요 내용을 확인한다. 문학[2국05-05] 시나 노래, 이야기에 흥미를 가진다.	1. 글에서 일이 일어난 순서 말하기 2. 제목 고르는 방법 알기 3. 주요 내용을 확인하며 글 읽기 4. 바르게 띄어 읽기 5. 글을 읽고 설명하는 대상 찾기 6. 글을 실감 나게 읽기	[2국02-02] 문장과 글을 알맞게 띄어 읽는다. =[8단원]글을 바르게 띄어 읽을 수 있다. (교과서 210~213쪽)	자율: 다문교육, 안전교육 동아리: 공예 진로: 꿈끼탐색주간	시낭송 리듬활동 포로멘 수공예 습식수채화 산책
			(수학) 5. 시계 보기와 규칙 찾기	② 시계와 시간 [2수03-02] 시계를 보고 시각을 '몇 시 몇 분'까지 읽을 수 있다. ③ 규칙 찾기 [2수04-01] 물체, 무늬, 수 등의 배열에서 규칙을 찾아 여러 가지 방법으로 나타낼 수 있다. [2수04-02] 자신이 정한 규칙에 따라 물체, 무늬, 수 등을 배열할 수 있다.	1. 시각을 읽고 규칙 찾기 2. 몇 시 알기 3. 몇 시 30분 알기 4. 규칙 찾아 여러 가지 방법으로 나타내기 5. 규칙을 만들어 무늬 꾸미기 6. 수 배열표에서 규칙 찾기	[2수03-02] 시계를 보고 시각을 '몇 시 몇 분'까지 읽을 수 있다. =[5단원]놀이를 통해 몇 시와 몇 시 30분을 이해할 수 있다. (교과서 100~101쪽) [2수04-02] 자신이 정한 규칙에 따라 물체, 무늬, 수 등을 배열할 수 있다. =[5단원]두 가지 모양을 규칙적으로 배열하여 포장지 무늬를 꾸밀 수 있다. (교과서 114~115쪽)		
			(통합) 겨울-2. 우리들의 겨울	[2바08-01] 상대방을 배려하며 서로 돕고 나누는 생활을 한다. [2슬08-01] 겨울 날씨의 특징과 주변의 생활 모습을 관련짓는다. [2슬08-04] 겨울철에 쓰이는 생활도구의 종류와 쓰임을 조사한다. [2즐08-01] 겨울의 모습과 느낌을 창의적으로 표현한다. [2즐08-02] 여러 가지 놀이 도구를 만들어 겨울 놀이를 한다.	1. 겨울 날씨의 특징과 그에 따른 우리의 생활 모습 알기 2. 겨울 놀이와 스포츠 3. 겨울 놀이 도구 만들어 놀이하기 4. 겨울 모습 표현하기	[2즐08-02] 여러 가지 놀이 도구를 만들어 겨울 놀이를 한다. =[겨울]여러 가지 놀이 도구를 만들어 겨울 놀이를 할 수 있다. (교과서 80~83쪽)		
1	내 이웃 이야기	1.1.~1.27. 76 (0) 종업식: 1.25.(목)	(국어) 9. 겪은 일을 글로 써요 10. 인물의 말과 행동을 상상해요	쓰기[2국03-04] 인상 깊었던 일이나 겪은 일에 대한 생각이나 느낌을 쓴다. 문학[2국05-04] 자신의 생각이나 겪은 일을 시나 노래, 이야기 등으로 표현한다. 문학[2국05-01] 느낌과 분위기를 살려 그림책, 시나 노래, 짧은 이야기를 들려주거나 듣는다. 문학[2국05-05] 시나 노래, 이야기에 흥미를 가진다. 듣기·말하기[2국01-05] 말하는 이와 말의 내용에 집중하며 듣는다.	1. 겪은 일이 잘 드러나게 말하는 방법 알기 2. 생각이나 느낌을 나타내는 표현 알기 3. 겪은 일이 잘 드러나게 글 쓰기 4. 인물의 모습과 행동을 상상하며 이야기 듣기 5. 인물의 말과 행동 따라 하기 6. 인물의 말과 행동에 어울리게 역할놀이 하기	[2국03-04] 인상 깊었던 일이나 겪은 일에 대한 생각이나 느낌을 쓴다. =[9단원]가장 쓰고 싶은 일을 일기로 쓸 수 있다. (교과서 250~253쪽)	자율: 안전교육 봉사: 졸업식	시낭송 리듬활동 포로멘 수공예 습식수채화 산책
			(수학) 6. 덧셈과 뺄셈(3)	[2수01-04] 하나의 수를 두 수로 분해하고 두 수를 하나의 수로 합성하는 활동을 통하여 수 감각을 기른다. [2수01-05] 덧셈과 뺄셈이 이루어지는 실생활 상황을 통하여 덧셈과 뺄셈의 의미를 이해한다. [2수01-06] 두 자리 수의 범위에서 덧셈과 뺄셈의 계산 원리를 이해하고 그 계산을 할 수 있다.	1. 10을 이용하여 모으기와 가르기 2. 덧셈과 뺄셈이 이루어지는 실생활 상황 3. 두 자리 수의 범위에서 덧셈과 뺄셈하기 4. 덧셈식과 뺄셈식 만들기			
			(통합) 겨울-2. 내 이웃 이야기	[2바05-01] 공공장소의 올바른 이용과 시설물을 바르게 사용하는 습관을 기른다. [2슬05-01] 이웃과 더불어 생활하는 모습을 조사하고 발표한다. [2슬05-02] 이웃과 함께 쓰는 장소와 시설물의 종류와 쓰임을 탐색한다. [2즐05-01] 이웃의 모습과 생활을 다양하게 표현하고 이웃과 함께 할 수 있는 놀이를 한다. [2즐05-02] 주변의 장소와 시설물을 이용하여 놀이한다.	1. 내 이웃 알아보기 2. 공공장소의 올바른 이용 방법과 예절 알기 3. 이웃의 소중함 알기 4. 도움이 필요한 이웃 알아보고 실천하기	[2바05-01] 공공장소의 올바른 이용과 시설물을 바르게 사용하는 습관을 기른다. =[마을]공공장소의 올바른 이용법을 알고 시설물을 바르게 사용할 수 있다. (교과서 20~21쪽)		
총시수		860						

다. 1주일 시간 계획(1학기 시간표)

교시	시간	월	화	수	목	금
등교	8:35~8:55	독서/놀이	독서/놀이	독서/놀이	독서/놀이	독서/놀이
1	9:00~9:40	아침시/리듬활동 에포크수업 (한글)	아침시/리듬활동 에포크수업 (한글)	아침시/리듬활동 에포크수업 (한글)	아침시/리듬활동 에포크수업 (한글)	아침시/리듬활동 에포크수업 (한글)
2	9:50~10:30	수학	통합(국악)	수학	수학	산책 줄넘기/운동장놀이
3	10:40~11:20	산책 줄넘기/운동장놀이	산책 줄넘기/운동장놀이	산책 줄넘기/운동장놀이	산책 줄넘기/운동장놀이	도서관수업
점심	11:20~12:20	점심 식사, 놀이 활동				
4	12:20~13:00	통합 알림장/책상정리 마침시	통합 알림장/책상정리	통합 알림장/책상정리	통합 알림장/책상정리	습식수채화 알림장/책상정리 마침시
5	13:10~13:50	-	창체(자율) 마침시	수공예 마침시	창체(안전) 마침시	-

2. 수업 만들기

가. 프로젝트 운영 계획

학습주제	더위야 썩 물렀거라!	학년	1학년			
기 간	6월~7월	관련 교과 및 차시	즐생	슬생	안전	계
			12	5	3	20
개발의도 및 소개	'더위야 썩 물렀거라!' 프로젝트는 1학년 1학기 '여름' 교과서 '2. 여름 나라' 의 기존 내용인 1) 더위, 2) 비를 중심으로 여름 나라 여행 3) 여름 나라를 다녀와서를 3개의 프로젝트로 재구성한 것 중 첫 번째 프로젝트이다.					

	본 수업자는 '여름 나라' 단원의 핵심 개념인 여름 날씨의 특징과 생활 모습을 3개의 주제로 나누어 다음과 같이 프로젝트로 구성하였다. 1) 더위야 썩 물렀거라! : 더위와 우리 생활 2) 비 오는 날은 즐거워 : 장마, 태풍 연계 3) 절약대장 나! : 전기 절약과 환경 기존 교과서 내용은 총 40차시로 구성되어 있는데, 이중 놀이 관련 차시는 단 3개분이었다. 이번 프로젝트를 구성하며 **놀이 활동(1번 주제 5차시, 2번 주제 3차시, 3번 주제 1차시)로 확대 편성**하였고, 1학년 안전 교과서 내용에 없는 여름철 날씨와 생활 관련 **안전 내용을 통합 교과서 프로젝트에 새롭게 추가**하였다. 또한 우리 아이들이 꼭 실천해야 할 **환경 관련 내용을 추가**함으로써 우리가 현재 살아가고 있는 지구 환경에 관심을 가질 수 있도록 구성하였다.
관련교과 성취기준	[슬04-01] 여름 날씨의 특징과 주변의 생활 모습을 관련짓는다. [즐04-01] 여름의 모습과 느낌을 창의적으로 표현한다. [즐04-02] 여름에 사용하는 생활 도구의 종류와 쓰임을 조사한다. [즐04-02] 여름에 사용하는 생활 도구를 여러 가지 방법으로 표현한다. [2안01-07] 현장체험학습이나 캠핑 등 야외 활동에서의 위험 요인을 알고 사고를 예방한다.
역량	☑자기관리 역량 □지식정보처리 역량 ☑창의적 사고 역량 ☑심미적 감성 역량 ☑협력적 소통 역량 ☑공동체 역량

차시	학습 활동	자료	관련 교과
1	**□프로젝트 도입** **(관련: 2015 개정 여름교과서: 72-77)** '더위야 썩 물렀거라!' 그림책 읽어주기 여름철 날씨의 특징과 생활모습, 도구 등에 대해 살펴보기	그림책	슬생

2	□프로젝트 주제망 그리기 (관련: 2015 개정 여름교과서: 78-83) 주제망 완성하기: 여름 날씨, 생활모습, 도구 등 낱말 쓰기	학습지	슬생
3-4	□오감으로 여름 날씨 느끼기 (관련: 2015 개정 여름교과서: 86-87) 운동장으로 나가 여름 날씨의 특징 알아보기 운동장 놀이: 얼음 땡 놀이 등 안전교육: 일사병, 열사병, 냉방병 등 ★평가 실시		즐생 안전
5-6	□여름 관련 노래부르기: 여름이 오네, 여름이 오면 (관련: 2015 개정 여름교과서: 84-85) 노랫말에 율동 붙여 리듬놀이하기 노랫말 바꿔 부르기		즐생
7	□더위를 이기는 방법 알기 (관련: 2015 개정 여름교과서: 88-89) 여름 날씨와 관련된 사람들의 생활 모습 살펴보기 더위를 이기기 위한 방법 알아보기	사진, 영상 학습지	슬생
8-10	□수영장 꾸미기 '수박 수영장' 그림책 읽어주기 내가 가고 싶은 수영장 꾸미기 전시 및 감상	그림책 수영장 꾸미기 학습지	즐생
11-12	□여름철 음식 (관련: 2015 개정 여름교과서: 88-89) 내가 먹고 싶은 여름철 음식으로 냉장고 꾸미기 여름철 과일, 야채, 음식 찾기 놀이하기 안전교육: 여름철 식중독 예방 교육	과일, 야채, 음식 사진 학습지	슬생 안전
13-14	□여름철 생활 도구 (관련: 2015 개정 여름교과서: 94-95) 여름철에 많이 사용하는 생활 도구 만들어 보기 부채, 색안경(썬글라스), 모자, 죽부인 등	도안, 색연필, 사인펜, 가위, 풀, 테이프 등	즐생

	내가 만든 도구로 친구와 놀이하기 (예: 가위바위보 게임)		
15-16	**□고기잡이 노래에 맞춰 놀이하기** **(관련: 2015 개정 여름교과서: 98-99)** 고기잡이 노래 배우기 **노래에 맞춰 고기잡이 놀이하기** 고기잡이 놀이 하며 만들었던 여러 형태 그리기 느낌 나누기	보자기(천) 크레파스/색연필 스케치북/도화지	즐생
17-18	**□여름 방학** '할머니의 여름 휴가' 그림책 읽어주기 나의 여름 방학 계획 세우기 안전 교육: 휴가지에서의 안전교육(캠핑, 계곡, 물놀이 등)	여름 방학 계획서	슬생 안전
19-20	**□프로젝트 마무리** **(관련: 2015 개정 여름교과서: 134-135)** 프로젝트 병풍책 만들기 작품 전시 및 느낌 나누기	색도화지, 가위, 풀, 색연필, 사인펜 등	즐생

나. 평가 계획하기

성취 기준		[슬04-01] 여름 날씨의 특징과 주변의 생활 모습을 관련짓는다.		
평가 요소		여름철 날씨와 생활 모습을 살펴보고, 날씨와 생활의 관계 알기		
평가 방법		선택형 평가, 관찰 평가	평가 시기	수업중
평가 기준	상	여름철 날씨의 특징을 설명하고, 날씨에 따른 생활 모습을 3-4가지 정도 알고 있다.		
	중	여름철 날씨의 특징을 설명하지만, 날씨에 따른 생활 모습을 잘 알지 못한다.		
	하	여름철 날씨의 특징을 설명하지 못하고, 날씨에 따른 생활 모습을 알지 못한다.		

교사교육과정의 실천

2학년 온 책 읽기 실천 사례

이리신동초 교사 오인정

2학년 온 책 읽기 실천 사례

이리신동초 교사 오인정

학생분석

전반적으로 학생들이 에너지가 많고 활발하며 수업에 집중하지 못하고 수업 중에 돌아다니거나 친구와 이야기하는 등 산만한 편이다. 주의 집중하는데 시간이 많이 걸리고 다른 사람의 이야기를 경청하지 않으며 수업 집중 시간도 짧은 편으로 많은 학부모님들께 학생 상담시에 많은 고민을 하시기도 했다. 자신의 감정을 제일 중요하게 생각하는 자기중심적 성향인 학생들이 많고 남의 입장과 감정을 생각하지 않아 싸움과 다툼이 잦은 편이다.

교사의 철학

코로나19라는 전염병은 전 세계적으로 많은 변화를 가지고 왔으며 학교 현장도 예외는 아니었다. 학교에서 느끼는 대표적인 변화는 기초학력 저하 및 기본생활습관의 부재, 학생 간 관계 맺기의 어려움 등일 것이다. 특히 올해 2학년 학생들은 코로나19로 인해 친구들과 관계 맺고 의사소통하는 방법을 익힐 기회가 적은 편이었다. 따라서 올 한 해 우리 아이들에게는 자신의 마음과 생각을 친구들과 나누고 친구의 이야기에 귀 기울이며 나아가 다양한 감정을 배우고 표현하는 방법을 익힐 시간이 꼭 필요하다고 생각했다. 이를 위해『아홉 살 마음 사전』온책 읽기를 학기초부터 진행하며 다양한 상황별 감정 이해, 적절한 표현의 방법, 상황에 맞게 행동하는 방법 등을 같이 이야기 나누며 의사소통역량 및 공동체·대인관계 역량을 기르고자 하였다.

교육과정

저학년 학생들의 특징 중 하나가 자기중심적 성향이다. 이에 자신만이 아닌 타인의 감정과 상황을 공감하고 더 나아가 소통하는 꾸준한 연습과 경험이 필요하다. 실제 2학년 통합 교과(봄)의 '1. 알쏭달쏭 나' 단원에서는 마음 신호등이 나오며 내 마음을 이해하고 다른 사람에게 나의 마음을 전달해 보는 연습을 한다. 또한 국어에서도 다른 사람의 마음을 생각하고 이해해보는 단원이 1, 2학기 모두 제시되어 있는 것을 볼 수 있다. 1학기 '3. 마음을 나누어요' 단원과 2학기 '4. 인물의 마음을 짐작해요' 단원이 그것이다. 특히 2학기 4단원에서는『아홉 살 마음 사전』이 수록되어 있으며 책 속의 인물의 마음과 자신이 느꼈던 마음과 비교하며 인물의 마음을 짐작해보는 활동들을 하게 된다.

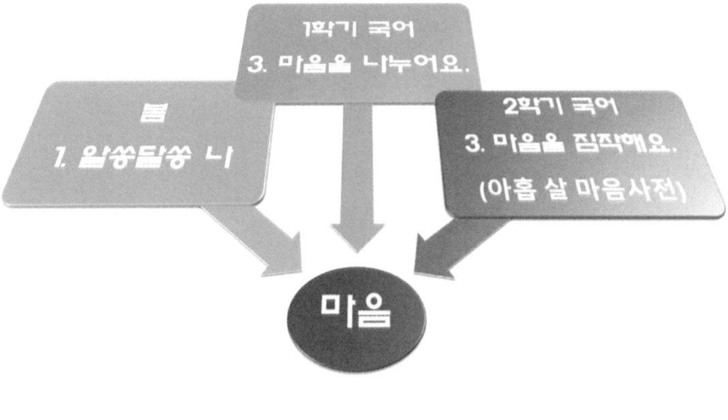

이에 학기 초부터 학생들과 『아홉 살 마음사전』온 책 읽기를 하며 다양한 감정의 의미를 이해해보고 이에 맞는 상황을 읽으며 친구들과 함께 경험을 나누는 활동을 꾸준히 진행했다.

수업과정

앞에서도 언급한 바와 같이 올해 학급의 특성상 친구의 마음을 이해하고 자신의 마음과 감정을 잘 전달하는 방법을 꾸준히 배우고 익히는 시간이 필요하다는 판단하에 학기 초부터 매일 아침 독서 시간 및 1교시 국어 시간을 활용하여 『아홉 살 마음 사전』온 책 읽기를 진행했다.

온 책 읽기는 크게 3단계를 거쳐 진행되었다. 먼저 감정의 의미를 이해해보고 그에 맞는 그림과 다양한 상황을 읽어본 후 마지막으로 서로의 경험을 나누었다. 마지막 단계인 '경험 나눔' 시간은 감정과 관련된 경험을 친구들과 공유하고 같이 이야기 나누니 학생들이 가장 좋아하는 시간이 되었다.

아홉 살 마음 사전 속 다양한 상황에 따른 인물의 마음을 읽어보며 자신과 친구들의 경험을 이야기하기도 하고 인물과 자신의 마음을 비교해 보기도 했다. 가끔은 학급에서 일어난 사건과 연관지어 친구가 어떤 감정이었을지 짐작해보고 친구들과 재미있고 즐겁게 학교생활을 할 수 있는 방법 등을 이야기 나누어 보기도 했다. 이를 통해 자신의 감정을 들여다보고 이름 붙여 보고, 상황에 따라 다양하게 자신의 감정을 표현할 수 있는 계기가 되었다. 또한 책 속 인물의 마음을 생각하고 짐작해보며 자연스럽게 실제 친구들과의 상황에서도 조금씩 적용하며 표현하는 모습도 볼 수 있었다.

아홉 살 마음 사전 온 책 읽기를 마치고 나서 아이들과 우리 반 마음 사전 만들기를 진행했다. 원래 우리 반 마음 사전 한 권을 만들 계획이었으나 아이들이 모둠별로 다양하게 책을 만들어보고 싶다는 의견을 수용하여 우리 모둠 마음 사전으로 만들어보았다. 일 년 내내 읽은 책이라서 그런지 정성 들여 만드는 모습이 대견했다.

아홉 살 마음 사전을 만드는 모습

아홉 살 마음 사전 학생 작품

아홉 살 마음 사전 학생 작품

우리 모둠 마음 사전을 만든 후 아이들의 작품을 직접 스캔해서 파워포인트로 만든 후 친구 마음 맞추는 활동도 진행했는데 친구들의 직접 그리고 만들어서 그런지 집중하며 맞춰보는 모습을 볼 수 있었다.

나의 마음 사전 맞춰보는 모습

마지막 활동은 우리 아이들의 마음을 들여다 볼 수 있게 우리 반 일 년 마음 사전을 전체 학생들과 만들어 보았다. 우리 반 친구들과 일 년을 지내며 나의 마음을 따뜻하게 해주었던 상황과 마음, 반대로 나의 마음을 힘들게 했거나 슬프거나 아프게 했던 상황과 마음을 적어 본 후 아이들과 이야기 나누어 본 후 비슷한 마음으로 분류해보았다.

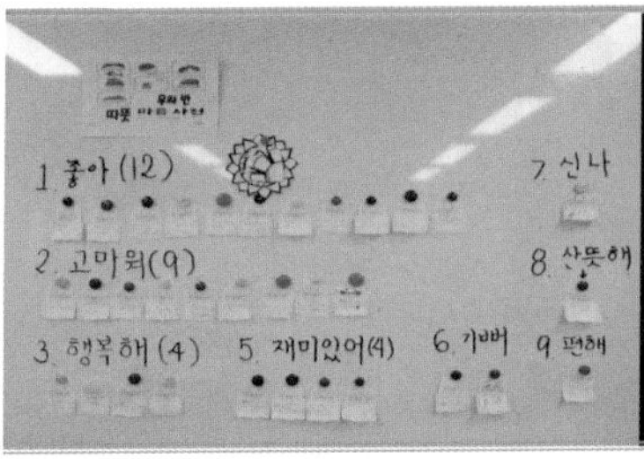

우리반 따뜻 마음 사전

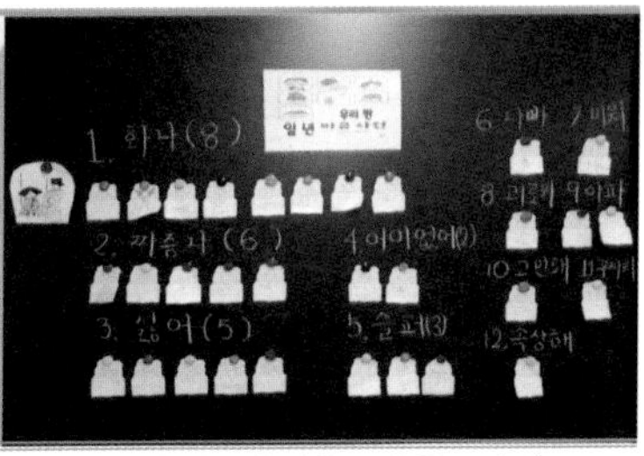

우리반 차가운 마음 사전

그 후 아이들과 함께 마음을 차갑게 만든 말들을 살펴보며 이야기 나눈 후 그에 맞는 우리 반 마음 & 위로 카드를 만들어보았다. 시중에는 많은 감정 카드, 욕구 카드, 바람 카드 등이 존재한다. 하지만 실제로 단어가 너무 어렵거나 저학년 학생들에게 적합한 카드를 찾기가 쉽지 않아 우리 반 학생들과 직접 만들어보는 것을 선택했다.

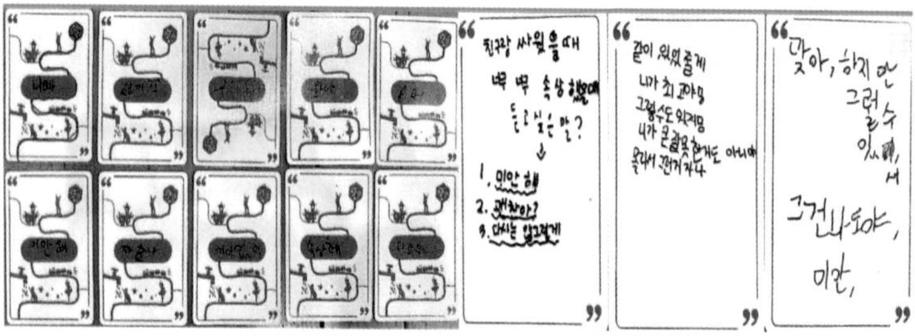

우리반 마음&위로 카드 만들기

카드의 한쪽 면에는 감정, 다른 쪽 면에는 그 감정에 맞는 위로의 말을 쓴다. '속상해'라는 감정에는 '미안해, 괜찮아, 다시는 안 그럴게' 등과 같은 위로의 문장을 써 보는 것이다. 아이들이 상황에 맞게 위로의 말을 잘 쓰는 것을 보고 다양한 마음을 배운 후 표현력이나 공감 능력이 더 성장했다는 것을 느낄 수 있었다.

우리 반 마음& 위로 카드를 제작하게 된 이유는 차가워진 마음을 따뜻하게 만들 수 있는 위로 사전을 만들며 어떤 말을 건네야 친구에게 위로가 될까 고민하고 생각해보는 시간을 마련하고 싶어서였다. 그리고 나의 마음을 이해하는 것에서 더 나아가 내가 원하는 것, 즉 바람과 욕구를 파악해볼 수 있는 기회를 주기 위함이었다. 내가 어떤 상황이 닥쳐 화가 났을 때 위로 카드를 보며 가장 듣고 싶은 말, 위로가 되는 말을 골라보며 내가 무엇을 바라고 있는지 자연스럽게 알게 되는 계기를 마련해주고 싶었다. 앞으로의 싸움과 다툼에는 우리 반 마음 & 위로 카드가 마음 신호등처럼 멈춤, 마음 이해하고 표현해보기, 나아가 나의 욕구까지 파악해보는 좋은 안내 자료가 될 것이다.

아이들의 소중한 피드백

얼마 전 아홉 살 마음 사전을 마무리했다. 아이들은 한 권을 다 같이 읽었다는 뿌듯함과 함께 다음 책이 너무 궁금하다고 했다. 이 책을 마무리하며 좋았던 일, 힘들었던 일, 기억에 남는 일 등을 이야기 나누었다. 아이들은 이 책을 읽으며 많은 마음과 감정을 배울 수 있어 좋았고 친구들의 경험을 들으며 여러 감정을 이야기를 같이 나눌 수 있어서 좋았다고 했다.

처음에는 책을 매일 읽어야 해서 힘들었는데 나의 경험을 말할 수 있고 친구들의 이야기도 들었고 무엇보다 수업을 하지 않아서 좋았다는 의견도 있었다. 친구가 말했던 재미있고 신기했던 일들을 같이 기억해보기도 하고 그 마음을 다시 추측해보며

일 년을 추억하니 아이들도 나도 감회가 새로웠다.

나의 평가

처음 『아홉 살 마음사전』을 아이들에게 나눠주며 아침마다 이 책을 읽고 하루를 시작하겠다고 말했던 학기 초가 떠오른다. 자신만의 책이 생겼다고 좋아하는 아이, 아침마다 책을 읽어야 한다니 절망하던 몇몇 남학생의 모습도 같이 떠오르며 피식 웃음이 난다. 하루하루 다양한 마음에 이름 붙이고, 아이들과 경험을 이야기하며 웃기도 하고 혼나기도 하고, 추억을 나누기도 하며 아이들도 나도 마음이 점점 자라남을 느꼈다. 잃어버리기 대장인 우리 반 남학생 중 단 한 명도 이 책을 잃어버리지 않고 끝까지 같이 읽었다는 점에서 나만큼 아이들도 이 책에 대한 애정이 깊다는 것을 느낀다. 다 읽고 우리 반만의 아홉 살 마음 사전을 만들고 싶다는 아이들과 함께 모둠별로 아홉 살 마음 사전을 만들어 보았다.

한 해 동안 책을 읽으며 조금씩 아이들의 감정 표현이 다양해지고 상황에 따라 구체적으로 표현하며 친구들의 마음을 조금씩 알아주는 모습에서 마음의 빛깔이 조금 더 자람을 느낀다.

교사교육과정의 실천

자아존중감 향상 프로젝트 「빛나는 그림자 영웅」
가정의 달 프로젝트 「마음을 전하는 라디오」
공동체 프로젝트 「오늘부터 우리도 베프」
자원을 순환하고 환경을 지키고 지역과 나누는 「행복나눔마켓」

함열초 교사 박소연

자아존중감 향상 프로젝트 「빛나는 그림자 영웅」

함열초 교사 박소연

수업소개

함열초등학교는 문해력 향상을 위한 온화함교육과정을 실천하고 있습니다. 따뜻한 말과 글로 피어나는 활동의 일환으로 2022년 38명의 아이들과 함께 책으로 우리 주변의 인물 삶을 들여다보고 우리가 만나는 모두가 영웅의 모습이 있다는 것을 느끼며 참된 아름다움을 발견해가는 국어, 도덕,

미술과 주제통합 수업을 진행했습니다. 정성 들여 최선을 다하는 삶, 나다움, 너다움이 함께 빛날 때 영웅이 될 수 있음을 알고 마음을 전하는 글을 쓰고 나누는 것을 목표로 했습니다. 학급 내에 반짝친구를 뽑고 반짝친구가 써주는 시, 부모님이 써주시는 영웅이야기, 내가 닮고 싶은 영웅의 모습, 나는 미래에 어떤 모습으로 살아가고 있을까, 추천하고 싶은 노래나 책 등의 글을 모아 학년 공통의 독후활동 모음집을 만들었습니다.

수업에 담긴 마음

이 경험을 바탕으로 우리 주변에 화려하지 않고 유명하지도 않지만, 열심히 살아가는 우리들의 모습을 기억했으면 좋겠습니다. “그림자 영웅”이라는 글을 보고 “빛나는 그림자 영웅”이라고 생각한다는 마음 따뜻한 우리 아이들. 멋지게 자라서 행복한 세상을 만들 거라 믿습니다. 언제나 빛나는 우리 아이들을 응원합니다. 또 이 책을 보고 있는 당신도 누군가의 마음 속에서 「빛나는 그림자 영웅」이십니다.

관련 교과 성취기준 분석

관련 교과	국어, 도덕	**학년-학기**	2022.3학년 2학기
관련 단원	**국어**	**도덕**	**미술**
	0.독서단원 4.감상을 나타내요 6.마음을 담아 글을 써요 8.글의 흐름을 생각해요	2.인내하며 최선을 다하는 생활	5.오감으로 느끼는 세상
관련, 유사 성취 기준	[4국02-05] 읽기 경험과 느낌을 다른 사람과 나누는 태도를 지닌다. [4국05-05] 재미나 감동을 느끼며 작품을 즐겨 감상하는 태도를지닌다. [4국03-04] 읽는 이를 고려하여 자신의 마음을 표현하는		

	글을 쓴다. [4국03-05] 쓰기에 자신감을 갖고 자신의 글을 적극적으로 나누는 태도를 지닌다. [4도01-03] 최선을 다하는 삶을 위해 정성과 인내가 필요한 이유를 탐구하고 생활계획을 세워본다. [4미02-02] 주변 대상을 탐색하여 자신의 느낌과 생각을 다양한 방법으로 나타낼 수 있다.
통합 성취 기준	우리 학급 영웅들의 삶을 살펴보고 소개하는 글을 쓰고 그림을 그려 나눈다.

수업·평가 활동 계획

교과	수업 및 평가계획
국어	**■ 독서단원-온작품 읽기. 4.감상을 나타내요** -「영웅학교를 구해라!」를 학급 친구들과 함께 깊이 읽기 - 책 내용을 간추려 소개하고, 낱말의 의미나 생략된 내용을 짐작하기 - 새롭게 알게 된 점이나 더 알고싶은 점 등을 바탕으로 인상 깊은 내용 나누기 **[평가계획]**

성취기준	평가요소	평가방법	평가주체	평가기준	
[4국02-05] 읽기 경험과 느낌을 다른 사람	독서활동을 통해 얻게 된 생각이나 느낌	수행평가	교사	◎	독서활동을 통해 얻게 된 생각이나 느낌을 다양한 매체(글, 만화 등)로 적극적으로 나누는 태도를 지닌다.
				○	독서활동을 통해 얻게 된 생각이나

성취기준	평가요소	평가방법	평가주체		평가기준
과 나누는 태도를 지닌다.	을 다양한 매체로 나눈다.				느낌을 다른 사람과 나누는 태도를 지닌다.
				△	독서활동을 통해 얻게 된 생각이나 느낌을 가끔 나눈다.

■ 6.마음을 담아 글을 써요

- 나를 표현하는 시 쓰기와 반짝친구가 써주는 ○○○ 시
- 친구가 멋진 때를 기록해주며 들려주는 이야기 글쓰기
- 친구에게 어울리는 노래, 영화, 명언, 시 등을 골라 그 이유와 함께 자신의 마음 전하기

[평가계획]

성취기준	평가요소	평가방법	평가주체		평가기준
[4국03-04] 읽는 이를 고려하여 자신의 마음을 표현하는 글을 쓴다.	친구의 흥미나 관심, 입장, 반응을 고려한 글을 쓴다.	수행평가	교사, 자신	◎	친구의 흥미나 관심, 입장, 반응 등을 충분히 고려하여 자신의 정서나 감정을 효과적으로 표현하는 글을 쓸 수 있다.
				○	친구의 흥미나 관심, 입장, 반응 등을 고려하여 자신의 정서나 감정을 표현하는 글을 쓸 수 있다.
				△	친구의 흥미나 관심, 입장, 반응 등을 부분적으로 고려하여 자신의 정서나 감정을 표현하는 글을 쓸 수 있다.

■ 8.글의 흐름을 생각해요

- 온작품 속 다양한 질문거리에 대한 친구들의 생각이나 느낌을 알아본다.

- 「영웅학교를 구해라!」 책을 읽고 자신의 생각이나 느낌이 드러나게 글을 쓴다.

- 쓰기에 자신감을 가지고 자신의 글을 적극적으로 나누기

[평가계획]

성취기준	평가 요소	평가 방법	평가 주체	평가기준	
[4국 03-05] 쓰기에 자신감을 갖고 자신의 글을 적극적으로 나누는 태도를 지닌다.	책을 읽고 기분과 감정을 나타내는 낱말을 활용하여 글을 쓸 수 있다.	수행평가	교사, 동료	◎	글을 읽는 사람을 고려하여 기분과 감정을 나타내는 낱말을 활용한 글을 쓴다.
				○	글을 썼지만 기분과 감정을 나타내는 낱말을 활용하지 못한다.
				△	글을 쓰지 못하거나 글을 나누려고 하지 않는다.

도덕

■ 우리가 만드는 도덕수업 – '우리는 모두 영웅'

- 반짝친구로서 내 친구가 영웅처럼 보였던 일, 함께여서 감사한 점 등을 기록한다.

- 본받을 점을 실천해 본다. (일기장, 두줄쓰기 공책에 실천내용 기록해보기)

[평가계획]

성취기준	평가요소	평가 방법	평가 주체	평가기준	
[4도 01-03] 최선을 다하는 삶을 위해 정성과 인내가 필요한 이유를 탐구	학급에서 빛나는 친구들이 정성들이고 인내하는 모습을 살펴보고 실천해 본다.	관찰평가	교사, 자신	◎	정성과 인내의 모습을 적극적으로 살펴보고 실현 가능한 계획을 세워 실천한다.
				○	정성과 인내의 모습을 살펴보고 실현 가능한 계획을 세워 실천한다.
				△	정성과 인내의 모습을 부분적

성취기준	평가요소	평가 방법	평가 주체		평가기준
하고 생활계획을 세워본다.					으로 살펴보고 실현가능한 계획을 세워 실천한다.

미술

■ **남기고 싶은 나의 모습 자화상 그림 그리기**

-10살의 내 모습 중 남기고 싶은 모습 찍어 그림으로 그린다.

■ **「우리는 모두 영웅」 표지그리기**

- 생각과 느낌을 다양한 방법으로 나타낸다.

[평가계획]

성취기준	평가요소	평가 방법	평가 주체		평가기준
[4미02-02] 주변 대상을 탐색하여 자신의 느낌과 생각을 다양한 방법으로 나타낼수있다	나의 생각과 느낌을 담아 영웅의 모습을 다양한 방법으로 나타낸다.	실기평가	교사, 동료	◎	나의 생각과 느낌을 담아 영웅의 여러 가지 모습을 다양한 방법(글,이미지,사진 등) 으로 나타낸다.
				○	나의 생각과 느낌을 담아 영웅의 모습을 다양한 방법(글,이미지,사진 등)으로 나타낸다.
				△	나의 생각과 느낌을 나타내는 데 관심을 가질 수 있다.

수업 에필로그

비교하지 않고 '나' 자신을 찾아가는 어린이라는 부제처럼, 묵묵하게 최선을 다하는 우리들의 모습을 함께 바라볼 수 있었다. 학급 내에서 친구들의 최선을 다하는 모습, 멋진 모습을 바라볼 수 있는 계기가 되었고 부모님들의 응원으로 더욱 나다움을 소중히 여길 수 있게 되었다. 열심히 살아가는 평범한 일상의 소중함을 다시 한번 되새기며, '나다움'은 어떤 모습일까 생각해보는 것은 물론 미래의 나의 모습까지 생각해보며 나다운 삶의 가치와 아름다움을 다시 한 번 느끼게 된 뜻깊은 시간이었다.

수업 장면

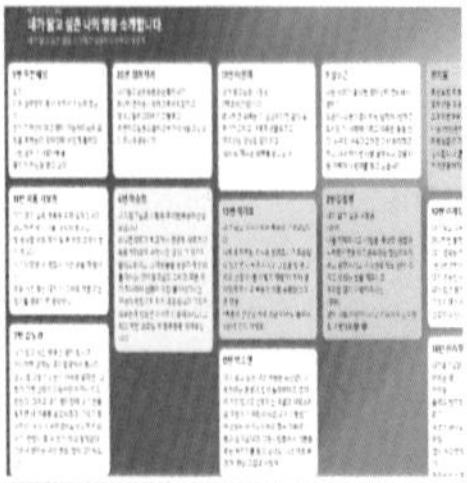

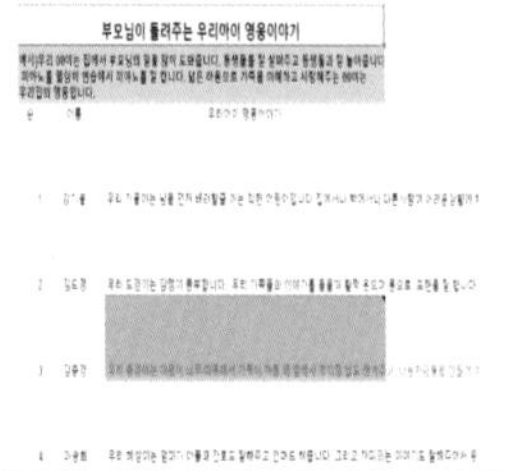

아이들의 글모음 부모님의 글모음(구글) 빛나는 그림자 영웅

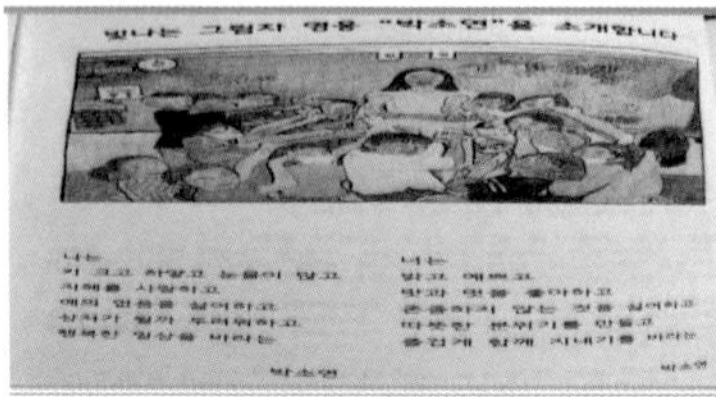

나의 자화상, 시 반짝친구들의 글 선물 모음

가정의 달 프로젝트「마음을 전하는 라디오」

함열초 교사 박소연

수업 소개

<table>
<tr><td>학습주제</td><td colspan="2">마음을 표현하는 글 쓰고 그림 그리기</td><td colspan="2">학년</td><td colspan="3">4학년</td></tr>
<tr><td rowspan="2">기 간</td><td rowspan="2">2023. 5. ~ 2023. 7.</td><td rowspan="2">관련교과 및 차시</td><td>국어</td><td>창체</td><td>도덕</td><td>미술</td><td>계</td></tr>
<tr><td>3</td><td>2</td><td>2</td><td>4</td><td>11</td></tr>
<tr><td>개발 의도 및 소개</td><td colspan="7">작년 어린이날 100주년, 부모님으로부터 몰래 온 편지를 받고 부모님의 사랑에 감동했던 아이들. 올해는 부모님으로부터 사전설문으로 인생 선배로서 아이들의 삶을 축복하고 응원,조언하는 글을 부탁드렸고, 그 글을 라디오 형식을 빌려 사연처럼 읽어주었다. 그 후 부모님의 사랑에 아이들이 화답하는 일련의 과정을 담았다.
모든 사람에게는 아름다움이 존재하며, 내 주변의 가장 가까운 사람인 부모님에게는 어떤 아름다움이 있는지 부모님을 존경하는 마음을 담아 시화로 표현해보았다. 마음을 전하는 라디오를 통해서는 부모님으로부터 온 글을 사연의 형태로 읽어주며 '나의 부모님일까? 어떤 친구에게 온 사연일까?' 함께 들어보고 우리반 친구 모두 사랑받는 소중한 사람임을 느끼길 바라는 마음을 담았다.</td></tr>
<tr><td>관련교과 성취기준</td><td colspan="7">[4국03-04]읽는 이를 고려하며 자신의 마음을 표현하는 글을 쓴다.
[4도04-02]참된 아름다움을 올바르게 이해하고 느껴 생활 속에서 이를 실천한다.
[4미02-06]기본적인 표현 재료와 용구의 사용법을 익혀 안전하게 사용할 수 있다.</td></tr>
<tr><td>역량</td><td colspan="7">■ 자기주도성 ■ 협력적 소통능력
■ 디지털문해력 ■ 창의력 ■ 예술적감수성</td></tr>
</table>

차시	학습 활동	교과 및 단원	
1	■ 세 가지 아름다움의 가치 알기 -외면적, 내면적, 도덕적 아름다움	3. 아름다운 사람이 되는 길	도덕
2	■ 부모님의 아름다움 찾아보기 -외면적, 내면적, 도덕적 아름다움 -부모님의 아름다움을 시로 표현하기		
3	■ 마음을 전하는 라디오 운영방식 협의 -DJ와 특별게스트 3인 선발하기 위한 낭독 및 선정투표 -라디오 대본 연습하기 (※사연 낭독시 사연자의 자녀 이름은 읽지 않음)	학년 특색	창체
4 ~ 6	■ 마음을 전하는 라디오 -DJ와 특별게스트가 전하는 부모님들의 사연 -아이들의 삶을 축복하고 응원하는 사연하는 글 -부모님 사전 설문내용 ①부모님이 우리에게 자주 하는 말은? ②부모님이 우리에게 듣고 싶은 말은? -마음은 전하는 라디오 노래 선곡 ①엄마가 딸에게(양희은) ②아버지(인순이) ③가족사진(김진호)	3. 느낌을 살려 말해요	국어
7 - 10	■ 아이패드 활용하여 디지털 시화 그리기 -붓 선택, 굵기 조절, 레이어 선택 등의 기본 사용방법 익히기 -가족사진(김진호) 노랫말을 생각하며, 부모님을 꽃 비유하고 아이패드에 시화 그리기	8. 컴퓨터로 그린 그림	미술
11	■ 디지털 시화 모아 시집 만들기 -학급별 시집 제목 콘테스트 → 학년 콘테스트 -표지 공모 후 시집 제작	학년 특색	창체

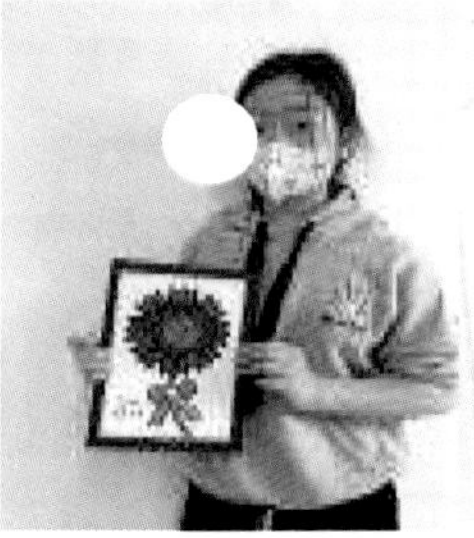

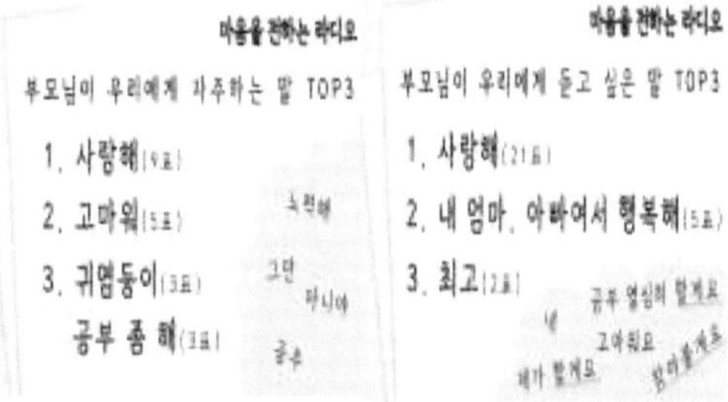

아름다운 선물　　　　　　　　부모님 설문내용

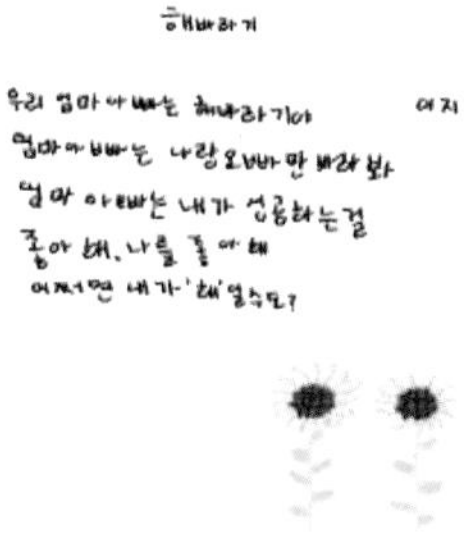

마음을 전하는 라디오　　　라디오사연　　　디지털 시화

[국어과 평가]

4국03-04	평가요소		읽는 사람을 고려하여 생각이나 느낌 쓰기	평가방법	지필
	평가기준	능숙함	읽는 이를 고려하여 자신의 생각과 느낌을 효과적으로 표현하는 글을 쓸 수 있다.		
		대체로	읽는 이를 고려하여 자신의 생각이나 느낌을 표현하는 글을 쓸 수 있다.		
		아직은	읽는 이를 고려하여 자신의 생각이나 느낌을 표현하기 어려워 한다.		

[미술과 평가]

<table>
<tr><td rowspan="4">4미
02
-
06</td><td colspan="2">평가
요소</td><td>아이패드와 앱 사용법 익혀
안전하게 사용하기</td><td>평가
방
법</td><td>지필</td></tr>
<tr><td rowspan="3">평
가
기
준</td><td>능숙함</td><td colspan="3">아이패드와 앱 사용법(레이어 추가, 도구 선택, 굵기 조절 등)을 익혀 안전하고 능숙하게 사용할 수 있다.</td></tr>
<tr><td>대체로</td><td colspan="3">아이패드와 앱 사용법(레이어 추가, 도구 선택, 굵기 조절 등)을 익혀 안전하게 사용할 수 있다.</td></tr>
<tr><td>아직은</td><td colspan="3">아이패드와 앱 사용법(레이어 추가, 도구 선택, 굵기 조절 등)을 안다.</td></tr>
</table>

수업 에필로그

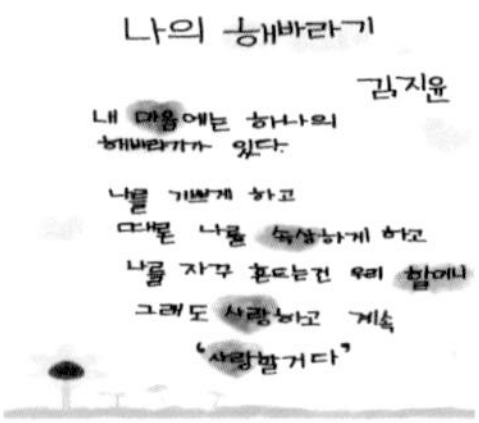

“사랑하고 사랑할거다”

부모님들로부터 온 편지를 읽을 때 MC들에게 특별히 아이 이름은 말하지 말 것을 부탁했다. 그 덕분에 “우리 엄마인가?” “우리 아빤가?” “00아 이거 너 말하는 거 아니야?” 매우 궁금해 하면서도 사연에 집중할 수 있었다. 20명의 반 아이들 부모님 중 사연을 보내주시지 못한 부모님들도 계셨는데, 마지막까지 도착하지 않은 사연은 담임인 내가 직접 써주었다. 평소 가족들의 사랑표현이 잦지 않은 아이였는데, 편지에 그 아이를 사랑하는 마음을 담담히 담아 응원하는 글을 써주었다. 사연을 듣자 마자 아이는 눈물을 터트렸고,

할머니가 써주었다고 굳게 믿으며 화답시에 마음을 담았다. 6개월이 지난 지금, 우리반은 올해 가장 기억에 남는 시간으로 마음을 전하는 라디오를 꼽는다. 아이들 한명 한 명에게 따뜻함이 전달된 것 같아 나 역시 행복함을 느낀 프로젝트였다.

마음을 전하는 라디오 부모님 설문

안녕하세요? 함열초등학교 4학년 1반 담임 박소연입니다.

5월은 가정의 달이라고 하지요. 어린이의 인격을 소중히 여기고, 어린이의 행복을 도모하기 위해 정한 어린이날(5월 5일). 어버이의 은혜에 감사하고, 어른과 노인을 공경하는 마음을 나누는 어버이날(5월 8일). 성인이 됨을 축하하고 사회인으로서의 앞날을 응원하는 성년의 날(5월 16일). 부부 둘이 하나가 됨의 소중함을 일깨우는 부부의날(5월 21일) 등 다양한 기념일들이 있답니다. 사랑하는 가족이나 주변 사람들에게 감사하며 관계의 소중함을 다시 한 번 되새겨 보는 5월이 되기를 바라며 「마음을 전하는 라디오」 프로젝트를 준비하게 되었습니다.

바쁘신 가운데 시간 내어 응답해주시는 부모님 모두 감사합니다.

1. 평소 자녀에게 자주 하는 말은 무엇인가요?

2.자녀에게 듣고 싶은 말이 있다면?

-들었을 때 힘이되고 행복해지는 말이면 다 좋습니다.

3.인생을 먼저 경험한 어른으로서, 아이들의 축복하고 조언해주고 싶은 말이 있다면?

-부모님의 인생 경험담, 들려주고 싶은 책 구절도 좋아요.

㉮유진아 안녕? 유진이가 엄마에게 온 지 벌써 4년이 넘었네
언제 이렇게 큰거지? 시간이 조금만 늦게 가면 좋겠다ㅜ
엄마는 유진이가 환하게 웃는 모습을 보면 온 세상의 빛이 유진이만 비추고 있는 것처럼 보이고 엄마도 덩달아 웃게 돼. 모든 일에 최선을 다는 모습, 춤 추는 모습, 입을 삐죽하는 모습 모두 다 너무 사랑스러워서 엄마는 매일이 행복한 사람이야. 그리고 엄마는 유진이를 보면서 다정함을, 그리고 끈기를 배우기도 한단다. 엄마도 앞으로 피곤하고 힘들다고 미루지 않고 소중한 사람들과 하루하루를 즐겁게 보낼게.
아름다운 나의 딸 유진아.
앞으로도 영원히 빛날 너를 응원하고, 사랑한다.

공동체 프로젝트 「오늘부터 우리도 베프」

함열초 교사 박소연

수업 소개

학습 주제	공동체 관계맺음	학년반	4학년 1반				
기 간	2023. 6. ~ 2023. 9.	관련교과 및 차시	국어	사회	수학	미술	계
			9	3	2	3	17
개발 의도 및 소개	**함께 행복한 아이들을 꿈꾸며** 코로나19의 장기화로 아이들의 관계맺음이 약해졌다. 친구가 불편하게만 느껴지는가 하면 “선생님 저 다른 친구랑 하면 안돼요?”라고 물으며 내가 좋아하는 친구들과만 선택적으로 관계 맺으려 하는 학급 아이들의 모습을 보았다. 친구와 함께 행복을 느끼며 공동체로 살아가길 바라는 마음을 담아 하나가 둘, 둘이 셋이 되는 우정관련 온작품을 선택하게 되었다. **문해력 향상을 위한 교육과정** 단어를 소리내어 읽었지만 뜻을 알지 못하는 아이, 문단을 읽고도 의미를 이해하지 못하는 아이, 책 내용을 내 삶과 연관지어 해석하지 못하는 아이들이 많아 문해력 향상을 위해 교육과정 재구성이 필요했다. 어휘를 다양한 방법으로 지도하여 의미이해를 돕고 책을 다 읽은 뒤에는 자신의 생각과 느낌을 담은 한 줄 소감을 나누며 책과 자신의 삶을 연결지어 해석하는 과정을 거친다. **학생의 삶과 배움이 중심되는 수업** 아이들의 삶의 공간인 익산지역과 연계하여 배움이 곧 삶과 연결될 수 있도록 구성하였다. 온작품을 읽고 더불어 함께 살기 위한 시민들의 노력을 우리지역에서 찾아보며 우리 사회의 안전망에						

<table>
<tr><td></td><td colspan="4">대해서도 살펴본다(나눔곳간). 또한 아동친화도시로 불리는 우리 지역에 필요한 것을 생각해보고 공공기관(익산시청)에 제안하며 주민참여를 실천하며 유의미한 경험을 제공하고자 했다.

교실수업 혁신을 위한 에듀테크 융합수업

일상생활 속에 녹아든 디지털기기와 앱을 수업안에 녹여 학생 참여 중심의 교수·학습 방법으로 활용하였다. 교육내용에 따라 멘티미터, 워드클라우드 등의 온라인 수업도구와 아이패드, 앱을 활용하여 디지털 기초 소양을 함양할 수 있다.</td></tr>
<tr><td rowspan="2">내용
요소</td><td>국어</td><td>수학</td><td>사회</td><td>미술</td></tr>
<tr><td>•내용 간추리기
•낱말 분류와 국어사전 활용
•낱말의 의미 관계
•추론하며 읽기
•시간의 흐름에 따른 조직
•경험과 느낌 나누기</td><td>•막대그래프</td><td>•주민참여</td><td>•표현 재료와 용구</td></tr>
<tr><td>관련교과
성취기준</td><td colspan="4">[4국05-03]이야기의 흐름을 파악하여 이어질 내용을 상상하고 표현한다.
[4국02-02]글의 유형을 고려하여 대강의 내용을 간추린다.
[4국02-03]글에서 낱말의 의미나 생략된 내용을 짐작한다.
[4국04-01]낱말을 분류하고 국어사전에서 찾는다
[4국04-02]낱말과 낱말의 의미관계를 파악한다.
[4사03-05]주민 참여를 통해 지역 문제를 해결하는 방안을 살펴보고, 지역 문제의 해결에 참여하는 태도를 기른다.
[4수05-01]실생활 자료를 수집하여 간단한 그림그래프나 막대그래프로 나타낼 수 있다.
[4미02-04]표현 방법과 과정에 관심을 가지고 계획할 수 있다.</td></tr>
</table>

차시	학습 활동	자료	관련 교과 및 단원	
1	■ 표지와 그림을 보고 그림의 순서를 정해 이야기 예측하기 -이야기 상상하여 써본 뒤 발표하기	『오늘부터 배프베프』 온작품도서	7.사전은 내 친구	국어
2	■ 낱말의 뜻을 짐작하며 읽기 -문맥 활용 어휘추론, 접사와 어근 추론, 한자어 추론 등			
3	■ 사전에서 뜻을 찾아보며 읽기 -국어사전에서 찾는 방법을 익혀 낱말기본형으로 찾기 -①국어사전으로 찾아보기 ②인터넷사전 찾아보기(웹사전)	국어사전		
4	■ 낱말과 낱말의 의미 관계 파악하기 -비슷한 말, 반대말 등을 살펴보기 -①국어사전으로 찾아보기 ②인터넷사전 찾아보기(웹사전)	국어사전 태블릿		
5	■ 이야기의 흐름에 따라 전체 내용 연결하여 간추리기 -시간의 순서, 장소의 변화, 사건의 흐름에 따라 쓰기 ※책 속의 문장 따라쓰기 X. 나의 언어로 요약하여 쓰기		2.내용을 간추려요	
6	■ 이야기의 흐름에 맞게 이어질 내용을 상상해서 쓰기		5.내가	

	-처음, 가운데, 끝의 흐름이 맞는지 고려하여 쓰기 -사건이 일어난 차례, 원인과 결과의 관계 생각하며 쓰기		만든 이야기	
7	■ 책을 다 읽은 뒤 나를 멈추게 한 부분 서로 공유하기 -친구란 ~이다. 한 줄 소감 나누기 -우리반에 있었으면 하는 ○○친구 설문조사	멘티미터 워드 클라우드	0.독서단원	
8 9	■ 서로에게 ○○친구 되어주기 -랜덤으로 베프로 만나, 우리 사이 어떤 우정을 쌓을 수 있을지 미션을 통해 알아간 뒤 발표해본다. -친구와 함께하며 느낀점을 바탕으로 시 or 글쓰기	미션활동지		
10 11 12	■ 우리지역은 어떻게 함께 살아가고 있을까? -주민참여의 중요성과 방법을 다양한 사례로 알아보기 -익산시민이 익산시민을 돕는 곳. 익산 행복 나눔곳간 살펴보기 https://news.kbs.co.kr/news/view.do?ncd=7644385&ref=A -11살 익산 주민으로서 아동친화도시 익산시에 제안하는 글쓰기	제안서	3.공공기관과 주민 참여	사회

13 14	■ 우리반에 있었으면 하는 ○○친구 설문 조사 내용을 표와 그래프로 그리기 -실생활 자료를 모아 막대그래프로 나타내기 ■ 막대그래프를 보고 이야기 만들어보기	설문자료	5.막대그래프	수학
15 16 17	■ 우리반 베프 굿즈 만들기 -우리반에서 선정된 베프 굿즈의 활용방법 이야기하기 -베프별 캐릭터 그리고 스티커로 제작하기 -아이패드 스케치앱 표현 기능과 레이어 등 간단한 조작방법을 익혀 디자인한다.	아이패드 SKetchbook	8.컴퓨터로 그린 그림	미술

[국어과 평가]

[4국02-02] 글의 유형을 고려하여 대강의 내용을 간추린다.	평가요소		이야기의 사건을 중심으로 대강의 내용 간추리기	평가방법	서술형 평가
	평가기준	능숙함	사건을 중심으로 이야기의 내용을 자신의 말로 간추릴 수 있다.		
		대체로	사건을 중심으로 이야기의 내용을 대강의 내용을 간추릴 수 있다.		
		아직은	글에 나타난 문장을 그대로 활용하여 대강의 내용을 간추릴 수 있다.		

<table>
<tr><td rowspan="4">[4국05-03] 이야기의 흐름을 파악하여 이어질 내용을 상상하고 표현한다.</td><td colspan="2">평가요소</td><td>글에 흐름에 따라 이어질 내용 상상하여 글쓰기</td><td>평가방법</td><td>서술형평가</td></tr>
<tr><td rowspan="3">평가기준</td><td>능숙함</td><td colspan="3">일이 일어난 차례를 생각하며 전체적 흐름을 파악하고 이어질 내용을 상상하여 글의 흐름에 따라 생생하게 표현할 수 있다.</td></tr>
<tr><td>대체로</td><td colspan="3">이야기 전체적 흐름에 대한 이해를 바탕으로 이어질 내용을 상상하고 표현할 수 있다.</td></tr>
<tr><td>아직은</td><td colspan="3">이야기의 대략적인 흐름을 따라 이어질 내용을 상상하고 표현할 수 있다.</td></tr>
</table>

[수학과 평가]

<table>
<tr><td rowspan="4">[4수05-01] 실생활 자료를 수집하여 간단한 그림그래프나 막대그래프로 나타낼 수 있다</td><td colspan="2">평가요소</td><td>우리반이 원하는 우정친구 조사하여 막대그래프 그리기</td><td>평가방법</td><td>서술형평가</td></tr>
<tr><td rowspan="3">평가기준</td><td>능숙함</td><td colspan="3">우리반이 원하는 우정친구 자료를 수집하여 막대그래프로 그리고, 여러 가지 사실을 찾아 설명할 수 있다.</td></tr>
<tr><td>대체로</td><td colspan="3">우리반이 원하는 우정친구 자료를 수집하여 막대그래프로 그릴 수 있다.</td></tr>
<tr><td>아직은</td><td colspan="3">안내된 절차에 따라 자료를 막대그래프로 나타낼 수 있다.</td></tr>
</table>

수업 장면

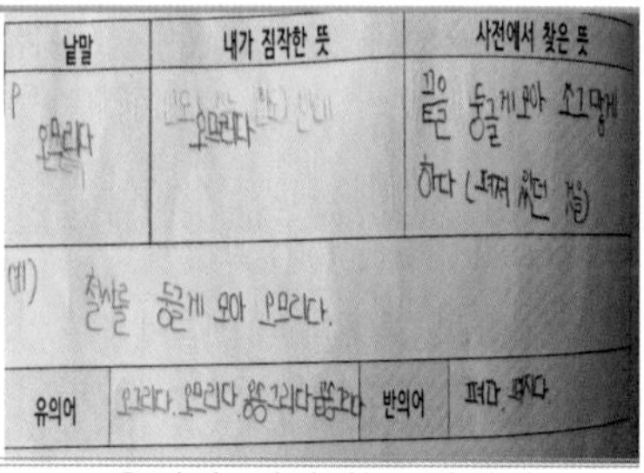

웹사전 검색 결과	우리가 생각하는 반대말

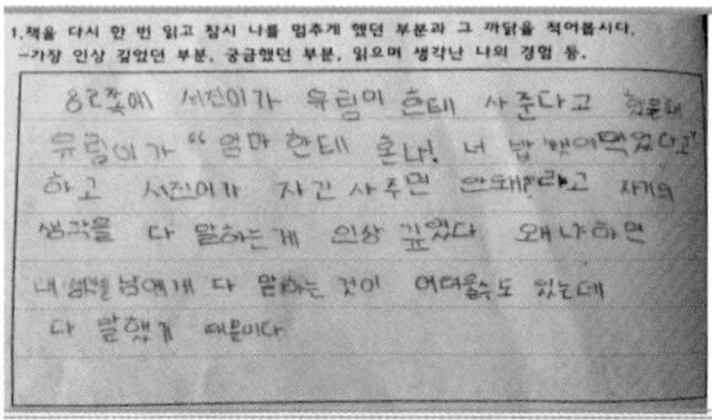

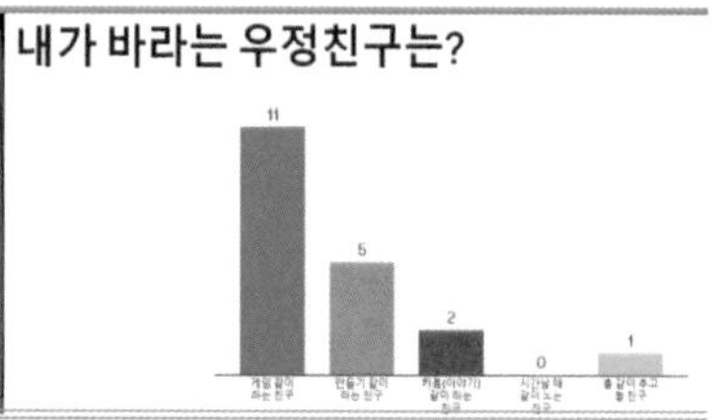

책을 읽고 느낀점 공유하기	멘티미터-내가 바라는 우정친구는?

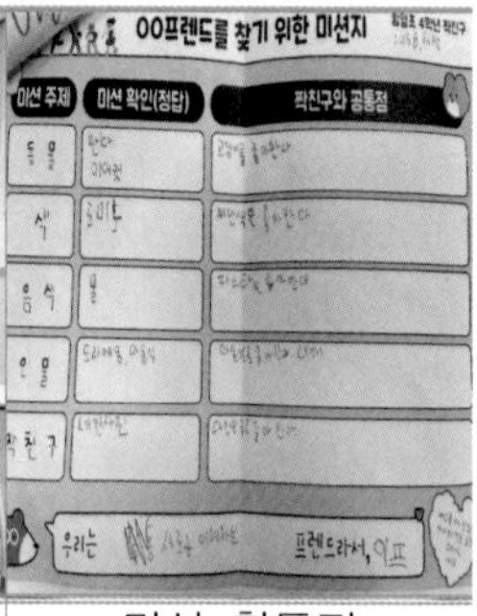

베프 미션-인물편	인생네컷 따라찍기	미션 활동지

Sketchbook 익히기

베프 굿즈 디자인

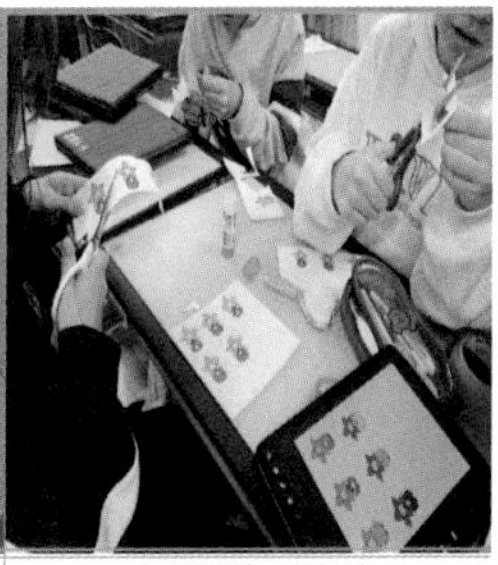

스티커 제작

수업 에필로그

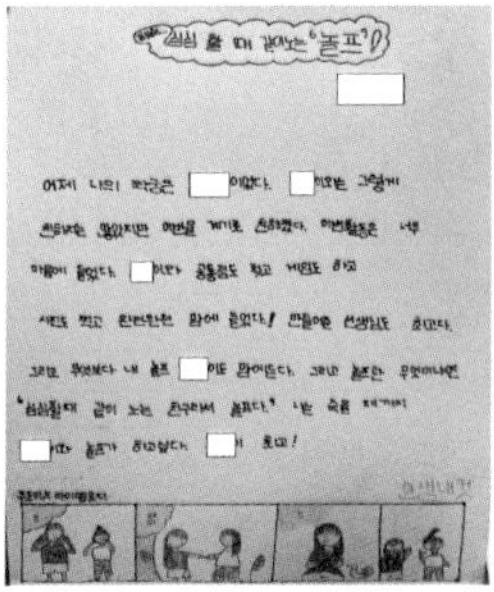

“원하는 친구랑 하면 안돼요?” “아.. 이번 짝꿍 너무 별론데..”등의 말을 서슴지 않고 선택적 관계맺기에 익숙한 모습에서 시작한 ‘오늘부터 우리도 베프’ 프로젝트 결과는 매우 성공적이었다. 베프미션으로 짝을 맺을 때부터 랜덤으로 맺어진 학년 짝과 함께 색깔, 인물, 동물, 음식 등의 5가지 미션을 통해 서로의 공통점을 찾아가는 과정 속에서 ‘나도 이 친구와 친해질 수 있겠구나’하는 생각이 들었다는 아이들의 피드백이 많았다. 이후, 모든 활동에서 랜덤으로 짝활동이 이루어지는 것에 대해 아이들의 거부감이 사라졌다. 친구에 대한 편견이나 선입견이 사라지면서 누구와 활동을 하더라도 할 수 있다는 마음가짐을 가지게 된 것이다. 2023년도 4학년의 목표인 공동체로서의 깊은 관계맺음이 형성된 것 같아 보람된 수업이었다.

자원을 순환하고 환경을 지키고 지역과 나누는 「행복나눔마켓」

함열초 교사 박소연

수업소개

<table>
<tr><td>학습 주제</td><td colspan="3">환경교육과 주민참여</td><td colspan="2">기간</td><td colspan="3">2023. 6. ~ 2023. 10.</td></tr>
<tr><td rowspan="2">관련교과 및 차시</td><td>국어</td><td>과학</td><td>사회</td><td>창체</td><td>계</td><td rowspan="2">학년</td><td rowspan="2" colspan="2">4학년</td></tr>
<tr><td>2</td><td>2</td><td>5</td><td>3</td><td>12</td></tr>
<tr><td>개발 의도 및 소개</td><td colspan="8">실천으로 이끄는 환경교육을 해보자

「돌아갈 수 있을까」 책을 읽고 무분별하게 사용하는 일상용품을 줄이고 올바른 분리배출을 실천하며, 자원순환으로 이어지는 수업을 계획하였다. 학교에서 관찰된 기후위기 문제상황에 따른 제안하는 글을 문장의 짜임에 맞게 써본다.
또한 국가환경교육센터 환경교육포털에서 환경교육 교구를 대여할 수 있었다. 「쓰레기 마을 구출 작전」이라는 게임활동을 통해서 익힌 분리배출 4원칙을 학교에서도 실천해보고, 이어 가정에서도 실천해본 뒤 학급 SNS에 환경보호를 위한 실천내용을 사진찍어 올려보기도 했다.

함께 행복한 우리 지역을 위한 나눔

쓰레기마을 구출 작전은 4인 1조로 구성된 모둠에서 아나바다 마을을 만들어가는 환경교육 보드게임이다. 우리반도 아나바다 학급이 되면 어떨까? 1학기 사회과 주민참여의 활동, 2학기 사회과 경제단원과 환경교육을 통합하여 자원을 순환하고, 환경을 지키고, 지역과 나누는</td></tr>
</table>

<table>
<tr><td></td><td colspan="3">「행복나눔마켓」활동을 계획하였다. 학생들과 선생님이 준비한 물건을 모으고, 물품 구매가 가능한 쿠폰을 판매하여 판매수익금을 익산나눔곳간에 기탁하였다. 사용하지 않는 물건들은 얼마든지 기부가 가능하며, 쿠폰 구입은 1인당 3장으로 제한하여 현명한 소비를 할 수 있도록 했다. 자원순환, 환경보호, 주민자치를 실현해보고 사회에 기여하는 공동체역량 함양 프로젝트를 통해 환경보호는 물론, 아이들도 익산 시민으로서 주민 참여를 실제 삶 속에서 실천해볼 수 있는 뜻깊은 시간이었다</td></tr>
<tr><td>관련교과 성취기준</td><td colspan="3">[4국03-03] 관심 있는 주제에 대해 자신의 의견이 드러나게 글을 쓴다.
[4국02-05] 읽기 경험과 느낌을 다른 사람과 나누는 태도를 지닌다.
[4사03-06] 주민 참여를 통해 지역 문제를 해결하는 방안을 살펴보고, 지역 문제의 해결에 참여하는 태도를 기른다.
[4사04-04] 자원의 희소성으로 경제활동에서 선택의 문제가 발생함을 파악하고, 시장을 중심으로 이루어지는 생산, 소비 등 경제활동을 설명한다.</td></tr>
<tr><td rowspan="2">내용요소</td><td>국어</td><td>사회</td><td>창체</td></tr>
<tr><td>•의견을 표현하는 글
•문단쓰기
•경험과 느낌 나누기</td><td>•주민참여</td><td>•기후위기 환경교육</td></tr>
</table>

<table>
<tr><td>차시</td><td>학습 활동</td><td>자료</td><td colspan="2">교과 및 단원</td></tr>
<tr><td>1</td><td>■「돌아갈 수 있을까」를 읽고 우리 학교 속 기후 위기 문제상황을 살펴보며, 제안하는 글 쓰기</td><td>교과서</td><td>8.이런 제안 어때요</td><td rowspan="2">국어</td></tr>
<tr><td>2</td><td>■「돌아갈 수 있을까」를 읽고 펭귄의</td><td></td><td>독서</td></tr>
</table>

	입장, 사람의 입장, 지구의 입장 중 한 가지를 선택하여 4컷만화로 표현해보기		단원	
3 - 4	■ 국가환경교육센터 환경교육포털 교구대여 프로그램 활용 수업 -쓰레기 마을 구출 작전이라는 보드게임을 하며 쓰레기 분리배출 4원칙도 익혀보고 아나바다 운동으로 밝아지는 마을을 직접 경험해본다. -분리배출4원칙: ①비운다 ②헹군다 ③분리한다 ④섞지 않는다 -아침마다 우유를 마신 뒤 분리배출 원칙에 따라 분류해본다.	보드 게임	환경 교육	창 체
5	■ 기후위기 원인과 현상, 대응방법 알기 -푸름이 이동환경 교실 '그린볼로 지구 온도를 낮춰요'참여		환경 교육	창 체
6 - 7	■ 기후위기에 따른 멸종위기 동물을 기억하는 스퀴시북 만들기 -레서판다, 벵골호랑이, 하늘다람쥐, 수달 등의 이야기를 담아 놀이하기			과 학
8	■ 2021년부터 시작된 익산 나눔곳간. 함께 사는 우리지역 -익산시 11살 주민으로서 주민자치를 실천하기 위한 우리들의 고민 나누기 -환경을 지키는 아나바다 학급 만드는 방법에 대한 의견수렴	설문		사 회
♡	■ 방학동안 가정에서 기후위기 대응	학급	여름방학	

	실천내용을 학급 SNS에 올리며 함께 공유하고 실천을 독려한다.	SNS	자율과제	
9	■ 생산과 소비모습을 살피며 행복나눔마켓 운영 계획하기 -물건 모으기, 분류하기, 마켓 이름 정하기 -쿠폰 판매금액, 구매가능 수량, 1부-2부 일정 등 회의하기		2 필요한 물건의 생산 과 교환	사회
10 - 11	■ 자원을 순환하고, 환경을 지키고, 지역과 나누는 행복나눔마켓 운영하기 -시장놀이로 현명한 소비 실천해보기	쿠폰		
12	■ 나눔곳간에 판매수익금 기탁 및 활동 소감 기록하기			

[사회과 평가]

<table>
<tr><td rowspan="4">[4사04-03]
시장을 중심으로 이루어지는 생산, 소비 등 경제활동을 설명한다.</td><td colspan="2">평가 요소</td><td>다양한 생산과 소비의 유형 설명하기</td><td>평가 방법</td><td>지필평가</td></tr>
<tr><td rowspan="3">평가기준</td><td>◎</td><td colspan="3">다양한 생산과 소비의 유형을 각각 2가지 이상 설명할 수 있다.</td></tr>
<tr><td>○</td><td colspan="3">다양한 생산과 소비의 유형을 각각 1가지 이상 설명할 수 있다.</td></tr>
<tr><td>△</td><td colspan="3">다양한 생산과 소비가 있음을 설명하기 어려워한다.</td></tr>
</table>

수업 장면

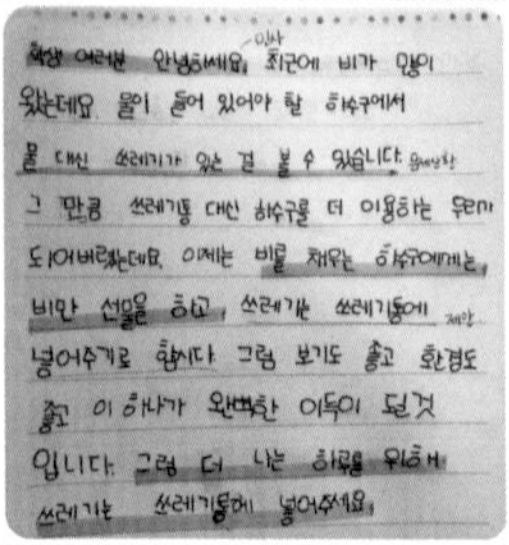

4컷 만화로 표현하기

깨끗한 학교를 위한 제안하는 글

학급 SNS에 실천인증하기

쓰레기 마을 구출 작전 보드게임

우유곽 분리배출

멸종위기 스퀴시북 만들고 놀이하기

행복나눔마켓

익산나눔곳간기부

행복나눔마켓 활동소감

수업 에필로그

1학기 교육과정피드백 및 2학기 교육과정 방향 설정을 위한 설문을 실시결과, 부모님들께서 가정에서도 우유곽을 씻어 말리고 있다는 말씀을 전해주셨다. 의미있는 시간이 가정에서도 이어진 것에서 교육의 힘을 느꼈다.

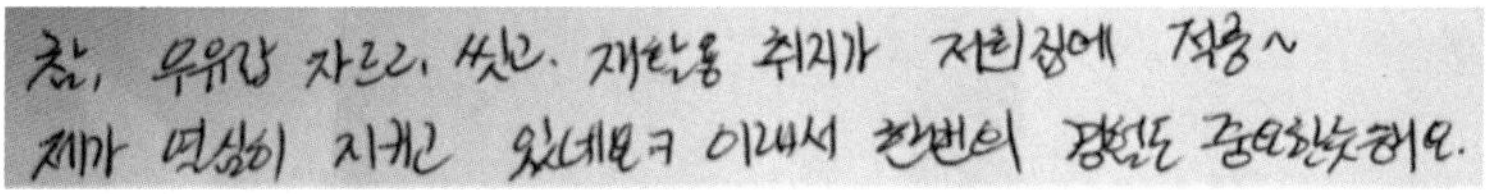
참, 우유갑 자르고, 씻고, 재활용 취지가 저희집에 적용~
제가 열심히 지키고 있네요ㅋ 이래서 한번의 경험도 중요한듯해요.

-부모님 설문 내용 중에서

"선생님, 쿠폰은 3장만 사지만 더 기부하고 싶으면 어떡해요?"
"우리는 3천원만 기부했는데, 더 많이 받는 것 같아요!"

행복나눔마켓 활동으로 서로에게 필요한 물건들을 교환하고 판매

수익금은 의미 있는 곳에 기탁하는 과정 전반 가정의 협조가 매우 컸다. 함께 하는 우리 반, 우리 학교를 넘어 지역사회, 그리고 환경이라는 공동체가 함께 노력해야 하는 문제에 있어 아이들이 직접 참여하고 실천해 본 경험은 오랫동안 지속될 삶의 힘이라 믿는다.

교사교육과정의 실천

5학년 단. 아. 함 교실 한해살이

오산남초 교사 박은진

우리는 조금씩 함께 자란다

단단한 나와 아름다운 너가 함께 하는 우리로 더불어 성장하는
5학년 단.아.함 교실 한해살이

오산남초 교사 박은진

우리 아이들은요

면단위 6학급으로 6학년 졸업까지 같은 반인 12명의 친구들로 남학생 8명과 여학생 4명이다. 어울림학교로 공동학구에서 통학하는 친구들이 9명이나 된다. 서로를 너무나 잘 알기도 하고, 늘 보던 대로만 보려 해서 잘 모르기도 하다. '맑고 밝고 명랑하게'라는 표현이 딱인 아이들인데, 3월부터 "이 아이는 이렇고요, 저 아이는 저렇고요"하면서 내게 (자기들은 이미 잘 알고 있으니, 교사인 나만 알면 되겠다는 듯) 설명하기 바쁜, 하고 싶은 말이 정말 많은 아이들이다. 공교육에서 발도르프교육을 실천하는 혁신학교를 해왔던 곳이라, 수공예나 습식 등 학년별로 어느 정도는 수행해야 할 과제가 있는데, ○○는 전학을 와서 이 과정을 해보지 못했고, □□는 매번 힘들어했으니 선생님께서 알고 계시라는 친절한 설명까지 곁들인다. 늘 싸움을 일으키는 누구가 있고, 매사 늦는 친구는 누구고, 무언가를 잘하는 친구라면 대개 정해져 있는데, 가끔 부정적인 평가가 내려지고 그저 받아들이는 모습을 보일 때가 있어서, 긍정적인 방향으로 바꾸어주려고 '네 옆에 있는 친구가 얼마나 변화하고 있는지, 네가 미처 몰랐던 모습이나 오해하고 있는 모습은 무엇인지'를 구체적으로 비교하며 묘사해주는 말을 자주 하고 있다.

너희에게 주고 싶은 것

교육과정 계획은 여백이 있게 세운다. 아이들을 만나 생활을 하다 보면 해마다 집중해서 실천하게 되는 바가 조금씩 달라진다. 인성교육, 문해력 기르기, 그림책, 놀이 수업, 생태환경, 예술, 역사, 또래지도, 자치활동, 진로교육 등 우리반 아이들에게 먹일 풀이 있는 곳을 찾아다니는 유목민 같다. 아이들 한명 한명 어떠한 상태인지 감각을 예민하게 주시하며 딱맞춤 풀을 균형잡힌 식단으로 제공하려는. 학년에 따라 올해의 주안점(혹은 수업 주제)으로 세웠던 방향과는 다르게 이루어지는 경우도 많은데, 아이들과 만나면서 이야기를 나누다 보면 나아갈 방향을 찾게 되고, 계획보다 풍성해지는 내용과 활동, 결과를 보게 된다. 수업하면서 부지런히 자료를 찾아 아이들 맞춤으로 만들어둔 이런저런 양식들은 다음 해에는 꺼내보지도 못하고 다시 새로운 영역에 몰두하게 되어 힘이 들기도 하지만 일년을 마무리하는 시점에서 돌아보면 여기에 오려고, 이렇게 오려고, 고단하지만 보람된 시간들을 보냈구나 생각하게 된다. 아이들 못지않게 나 역시 해마다 조금씩 배우고 자라가고 있다. 배움에 대한 열정은 모두가 타고난다. 열정이 사그라지지 않고 매순간의 배움이 즐겁기를, 경험 속에서 지혜를 발견하도록 도울 수 있기를, 아이들의 가능성을 믿기를, 학급교육과정 맨 앞에 적는 지향점과 바라는 어린이상이 교사인 나와 아이들 모두에게 적용되며 실천되기를 바란다.

우리가 함께 부르는 노래 -아침활동-

아침맞이로 함께 노래를 부르고 시를 읊는다. 대개 '김희동 노래집' 수록곡들로, 1학년 때부터 배우고 불러왔던 곡들이라 교실 한켠에 자리한 피아노 반주 없이도 제목만 대면 술술 나온다. 노래에 움직임을 더하기도 하는데, 옆 반에서 노랫소리가 들리면 잠시 멈추고 듣는 것만으로 수업 전 배움의 자세를 가다듬을 수 있는 마음 상태가 된다.

20년 후 우리는

-학생 파악을 위한 전반적인 활동, 학기초 집중 운영, 수학여행과도 연계-

3-4월에 집중하여 활동하고 학부모 공개수업, 2학기 수학여행

과도 연계하여 개별 학생 파악과 고학년 진로 교육 시간으로 운영했다. 전학년 담임들과 지내온 이야기를 들어보고, 집단상담을 진행하고 강사님과 사후 면담을 통해 개별 학생에 대해 서로가 파악한 이야기도 나눠보았다. 각 활동들을 설명하고 최대한 자유롭게 개인이나 모둠으로 활동하게 하면서 각기 아이들이 가진 특성이 자연스럽게 드러나도록 하여 관찰했다.

수업 주제	집단상담(문장완성검사, 다스그림검사, 카프라, 뇌 구조), 개인상담, 큰나 작은나, 20년 후 내 모습, 문장완성글짓기, 내가 보는 너, 놀이공원과 관련된 직업 알아보기(수학여행 연계)
교과(영역)	실과 1단원 아동기 발달과 성, 6단원 일과 직업의 탐색, 미술, 창체 진로
관련 성취 기준	[6실01-01]아동기의 신체적, 인지적, 정서적, 사회적 발달의 특징 및 발달의 개인차를 알아 자신을 이해하고, 건강하게 발달하기 위해 필요한 조건을 설명한다. [6실05-01]일과 직업의 의미와 중요성을 이해한다. [6실05-02]나를 이해하고 적성, 흥미, 성격에 맞는 직업을 탐색한다. [6미01-01]자신의 특징을 다양한 방법으로 탐색할 수 있다.
성취 기준 재구조화	자신의 특징을 다양한 방법으로 탐색하며 나를 이해하고, 적성, 흥미, 성격에 맞는 직업을 탐색한다.
평가	*미술(체험)-자신의 특징을 다양한 방법으로 탐색하기

	*평가기준 -(상/중)자신의 외적 특징뿐만아니라 성격, 취향, 관심 등의 내적 특징을 (다양한 방법) 활용해 (적극적으로) 찾는다. -(하)자신의 외적 특징뿐만아니라 성격, 취향, 관심 등의 내적 특징을 찾는 데 관심을 갖는다.
계획	*실과-일과 직업의 의미를 이해하고 적성, 흥미, 성격에 맞는 직업 탐색하기 *평가기준 -(상)일과 직업에 대한 이해를 바탕으로 다양한 방법으로 자신의 직업 흥미와 적성을 연결하여 직업을 탐색한다. -(중) ~자신의 특성과 다양한 체험활동을 통해 직업 정보를 조사한다. -(하) 일과 직업 의미, 중요성, 자신의 적성, 흥미, 성격 등을 말한다.
	*실과-다양한 직업의 세계 조사하기 *평가기준 -(상/중/하)다양한 직업을 조사하여 (6-7가지/4-5가지/2-3가지)의 하는 일을 (자세히) 설명한다.

			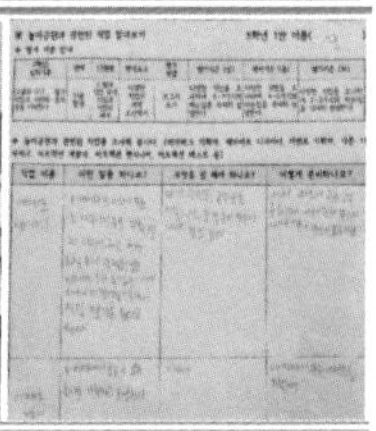
집단상담 '카프라 활동'	'20년 후 우리는' 역할극	큰 나 작은 나	놀이공원 직업 조사

그곳에 가면 -4월, 만경강 벚꽃길 따라 걷기-

3월 마지막주 어스아워를 실천하며, 기후변화교육으로 환경오염과 쓰레기 문제에 대한 수업을 진행했다. 벚꽃이 활짝 피어 흩날리는 시기가 오면 전학년 다모임조를 구성하여, 다모임조별로 학교 밖으로 나와 만경강 줄기 따라 만개한 벚꽃 가로수길까지 걸어가면서 봄 미션을 해결하고, 환경보호 캠페인을 하며 쓰레기를 줍고, 봄을 가득 느끼고 교실로 돌아와서 시를 쓰고 그림을 그려 학급 시화 전시회를 열었다.

수업 주제	기후변화교육(환경오염, 쓰레기 문제), 어스아워, 만경강 벚꽃길 걷기, 다모임별로 봄 미션해결하기, 환경보호 캠페인, 쓰레기 줍기, 경험을 떠올려 시 쓰기, 시 전시하고 감상하기
교과 (영역)	국어 5-1-2.작품을 감상해요, 창체 아리따움, 창체 다모임, 과학 5-2-2.생물과 환경
관련 성취 기준	[6국05-02]작품 속 세계와 현실 세계를 비교하며 작품을 감상한다. [6과05-03]생태계 보전의 필요성을 인식하고 생태계 보전을 위해 우리가 할 수 있는 일에 대해 토의할 수 있다.
평가 계획	*국어-경험을 떠올리며 시를 읽고 바꾸어 쓰기 *평가기준 -(상)시 내용과 비슷한 경험을 떠올려 창의적인 표현으로 시 바꾸어 쓴다.

	-(중)시 내용과 비슷한 경험을 떠올려 시의 일부분 바꾸어 쓴다. -(하)시 내용과 비슷한 경험을 떠올려 시를 바꾸어 쓰지 못한다.

기후변화교육 쓰레기 문제 토의	봄 미션 해결하기	환경보호 캠페인	시화 전시

낭독극이 피었다 -5월, 4,5,6학년 공동교육과정 운영-

인권에 대해 배우면서 우리 아이들이 쉽게 접근할 수 있도록 학생 인권침해 사례와 학생 인권보장 사례를 찾아보았다. 현재로부터 먼 옛날까지 인권존중을 실천한 인물들을 두루 조사해보고 친구들에게 추천하는 조사발표를 거쳐, 토의를 통해 '우리가 뽑은 인권존중 실천 인물'을 선정하였다. 인물 일대기를 조사하고 글로 써보고, 책을 선정하여 파트를 나눠 낭독회를 열었다.

수업 주제	인권침해 사례와 인권보장 노력 조사, 인권존중 실천 인물 찾기, 토의활동-인권존중 인물 추천과 선정, 낭독회 준비, 낭독회 시연

교과(영역)	국어 5-1-6.토의하여 해결해요, 국어 독서단원, 사회 5-1-2. 인권존중과 정의로운 사회, 창(자) 다모임
관련 성취 기준	[6국01-02]의견을 제시하고 함께 조정하며 토의한다. [6사02-01]인권의 중요성을 인식하고 인권 신장을 위해 노력했던 옛사람들의 활동을 탐구한다. [6국05-05]작품에 대한 이해와 감상을 바탕으로 하여 다른 사람과 적극적으로 소통한다.
흐름	인물 추천(사회평가)→추천된 인물 알아보기→토의(국어평가)→선정→낭독회
평가 계획	*사회-옛사람들의 인간 존중 실천 노력 설명하기 *평가기준 -(상/중/하)인권의 중요성을 인식하고, 인권신장을 위해 노력했던 역사적 인물과 활동을 (조사하고 의의 설명/조사하여 제시/조사하여 일부만 제시)한다.
	*국어-다른 사람의 의견을 존중하며 활발하게 토의 참여하기 *평가기준 -(상)토의주제에 따라 알맞은 근거를 들어 활발하게 의견을 제시하고, 다른 사람의 의견을 경청하고 차례를 지켜 말하는 태도를 보인다. -(중)알맞은 근거를 들어 의견을 말하고 토의에 잘 참여하며 다른 사람의 의견을 듣고 차례를 지켜 말하려 노력한다. -(하)알맞은 근거를 들지 못하거나 토의에 소극적으로 참여하며 토의 주제를 고려하지 않고 말하거나 경청하는 태도가 부족하다.

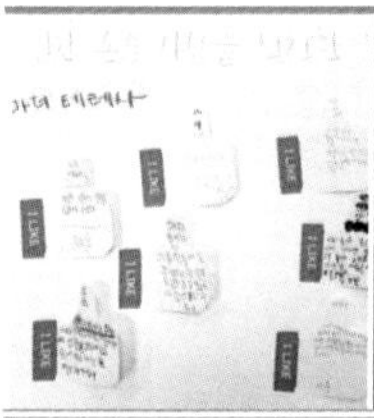

인권존중 인물 추천	인물 선정 토의	낭독극 준비	숲 속 낭독회

살아 숨 쉬는 우리 국토 -6월-

점토로 직접 우리 국토를 빚는다. 동글동글 빚고, 쌓고, 누르고, 다듬으며 험준한 산지와 너른 평야, 굽이굽이 강줄기를 만들어 가다 보면 우리나라 산지, 평야, 하천, 해안의 지형 특징을 굳이 외울 필요가 없다. 가르쳐주지 않은 산의 높이까지 스스로 찾아보는 아이들이 생긴다. 1학기에는 사회 배움공책을 직접 만들어 쓰고 그리며 정리한다.

수업 주제	우리나라 지형 특징 알아보기, 지형을 몸으로 표현하기, 흙으로 나타내기, 배움 공책 만들기, 습식수채화
교과 (영역)	사회 5-1-1.국토와 우리 생활, 미술 8.흙으로 조물조물, 3.아름다움을 담은 조형 원리
관련 성취 기준	[6사01-03]우리나라의 기후 환경 및 지형 환경에서 나타나는 특성을 탐구한다. [6미02-05]다양한 표현방법의 특징과 과정을 탐색하여 활용할 수 있다. [6미02-05]미술활동에 타 교과의 내용, 방법 등을

	활용할 수 있다.
평가 계획	*사회-우리나라의 지형의 특징 설명하기 *평가기준 -(상/중)우리나라의 기후환경 및 지형환경의 특성을 (사례를 들어/일부만) (구체적으로) 설명한다. -(하)우리나라의 기후환경 및 지형환경의 특성을 알지만 설명하기 어려워한다.
	*미술(체험)-미술 활동에 타 교과의 내용, 방법 등을 활용하기 *평가기준 -(상/중)미술활동과 연계된 타 교과의 내용, 방법 등을 선택하여 자신의 미술 활동에 (적절하게) 활용할 수 있다. -(하)미술활동에 타 교과의 내용, 방법 등을 활용할 수 있음을 안다.

배움공책 만들기 국토 습식 표현 우리 국토 지형 만들기

별은 영원히 빛나고

- 6월, 태양계와 별자리, 6학년 연계 -

우주 공간을 눈앞에 그려볼 수 있도록 스텔라리움을 이용해 관찰해본 후, 복도 공간을 이용해 태양계 행성의 크기와 거리를 비교하여 모형으로 나타내보았다. 별자리는 6학년에서도 배우는 과정이라 별자리 배움 공책을 만들고 6학년에서는 어떤 내용들을 배우는지 안내하여 활용하도록 했다.

수업 주제	스텔라리움 천체 관측, 태양계 구성, 태양과 행성 특징, 태양계 행성의 크기와 거리 비교, 별자리 배움 공책(6학년 연계), 북쪽 대표 별자리, 북극성 찾기, 습식수채화로 태양계 표현하기
교과 (영역)	과학 2. 태양계와 별, 미술
관련 성취 기준	[6과02-01]태양이 지구의 에너지원임을 이해하고 태양계를 구성하는 태양과 행성을 조사할 수 있다. 〈탐구활동〉 태양계 행성들의 상대적 크기와 거리 비교하기 [6미02-05]미술활동에 타 교과의 내용, 방법 등을 활용할 수 있다. [6미02-03]다양한 자료를 활용하여 아이디어와 관련된 표현 내용을 구체화할 수 있다.
평가 계획	*과학-태양계 행성들의 상대적 크기와 거리 비교하기 *평가기준 -(상/중/하)태양계행성의 상대적인 (크기/거리)를 조사하고 (태양계 행성 모형으로/거리비교 활동으로) 나

	타내고 비교하여 설명하기
	*미술(표현)-다양한 자료를 활용하여 표현 내용을 구체화하기 *평가기준 -(상)/(중)아이디어와 관련된 정보와 자료를 (폭넓게) 수집하고 (적합한 것을) 선택하여 표현할 내용을 구체화한다. -(하)아이디어와 관련된 정보와 자료를 수집하여 표현할 내용에 활용한다.

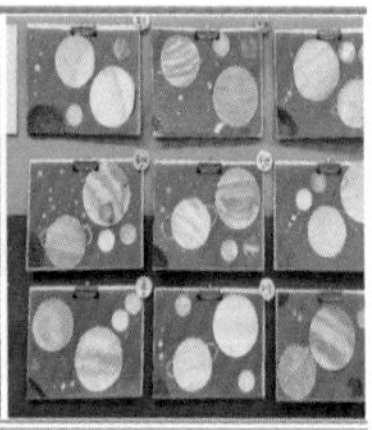

태양계행성의 상대적 크기와 거리 비교	태양계행성의 상대적 크기와 거리 구체화	별자리 배움공책	습식수채화로 표현한 태양계

요리조리 오! 감자

-7월, 텃밭작물로 시장 열기, 5,6학년 공동교육과정 운영-

6학년 황수경 선생님과 함께 텃밭에 심은 감자를 캐서 5,6학년이 모둠별로 가게를 열고, 감자를 이용한 요리를 만들어 전교생과 교직원을 대상으로 팔아서 수익을 얻고 투자를 해보는 경제교육으로 운영했다. 5학년은 단아함 은행을 열어 근로 소득을

지급하고, 재료 구입 등 초기 자본금을 대여해 주었고, 6학년 가게 주식회사에서 발행한 주식을 구입하여 회사 이윤 창출과 투자에 대해 생각해볼 수 있는 활동을 했다.

수업 주제	텃밭작물(감자) 가꾸기, 감자 캐기, 간식의 중요성, 좋은 간식 선택하기, 감자 요리 조사하기, 감자 요리 만들기, 소득, 저축 및 대여(이자), 투자(주식 사고 팔기), 주식 투자 설명회, 가격 정하기, 화폐 배부하기, 모둠별 가게 홍보하기, 가게 운영하기
교과 (영역)	창체 아리따움, 실과 2(1). 균형 잡힌 식생활, 사회
관련 성취 기준	[6사06-01], [6실02-01], [6실02-02], [6실02-10]
성취 기준 재구 조화	감자를 이용한 간식을 위생적이고 안전하게 준비·조리하여 경제활동을 해보고 기업과 개인의 경제적 역할과 합리적 선택 방법을 탐색한다.
평가 계획	*사회-기업과 개인의 경제적 역할 *평가기준 -(상)다양한 경제활동 사례를 분석하여 기업과 개인의 경제적 역할을 설명하고, 기업과 개인의 합리적 선택 방법을 제시한다. -(중)다양한 경제활동 사례를 바탕으로 기업과 개인의 경제적 역할을 설명하고, 합리적 선택을 위해 기업과 개인이 해야 할 일을 찾는다. -(하)경제활동 사례를 바탕으로 기업과 개인의 경제적 역할을 구분한다.
	*실과-감자를 이용한 간식 조리하기 *평가기준

	-(상)감자를 이용한 간식 만드는 방법을 조사하고 안전과 위생을 고려하여 합리적으로 선택하고 필요한 재료와 도구를 준비하여 조리한다. -(중)감자를 이용한 간식 만드는 방법을 알고 안전과 위생을 고려하여 준비하고 조리한다. -(하)감자를 이용한 간식 만드는 방법을 말한다.

동생들에게 가게 홍보 투자설명회

재료 준비, 음식조리하기

오! 감자 가게 운영

경제활동 개인 자산 관리

최소한의 유물탐구 -9월, 캔바와 북크리에이터를 활용한 배움공책 쓰기와 발표자료 만들기-

1학기 사회는 배움공책을 직접 만들어서 쓰고 그렸는데, 2학기 사회는 역사라 사료를 찾고 영상물 활용과 자료 조사하는 수업이 많아서 캔바를 이용해서 개인별로 배움공책을 작성하고, 수업시간에 친구들과 협업하여 공동작업으로 발표물도 제작하고, 수행과제를 제출하자고 아이들과 방향을 정하였다.

수업주	다양한 매체를 활용한 조사 방법 알아보기, 챗GPT, 카카오톡 ASUK, 네이버 지식백과 활용 방법 알기, 매체

제	자료의 특성에 생각하며 알맞은 방법으로 읽기, 조사한 내용을 정리하는 방법과 중요한 내용이 드러나도록 요약하는 방법 알기, 문화유산 조사하고 정리하기, 캔바와 북크리에이터로 협업하여 문화유산책 만들기, 문화유산 해설사가 되어 발표하기, 캔바로 배움공책 정리하기
교과(영역)	국어 5-2-5. 여러 가지 매체 자료, 5-2-7. 중요한 내용을 요약해요. 사회 5-2-1. 옛사람들의 삶과 문화
관련성취기준	[6국02-02]글의 구조를 고려하여 글 전체의 내용을 요약한다. [6국03-02]목적이나 주제에 따라 알맞은 내용과 매체를 선정하여 글을 쓴다. [6사03-02]불국사와 석굴암, 미륵사 등 대표적인 문화유산을 통해 고대 사람들이 이룩한 문화의 우수성을 탐색한다.
평가계획	*국어-매체 자료를 읽는 방법에 따라 자료를 읽고 정보 정리하기 *평가기준 -(상)매체 자료의 종류와 특성을 이해하고 매체 자료와 상황에 따라 자료를 효과적으로 읽어 필요한 정보를 효과적으로 정리한다. -(중)매체 자료와 상황에 따라 적절하게 자료를 읽어 필요한 정보를 정리한다. -(하)매체 자료의 종류와 특성을 이해하지 못하고 매체 자료와 상황에 따라 자료를 효과적으로 읽지 못한다.
	*국어-요약하기 과정에 따라 글을 요약하기

	*평가기준 -(상)글을 읽고 글의 구조를 잘 파악하고, 중요한 내용이 잘 드러나게 자신의 언어로 재구성하여 요약한다. -(중)글을 읽고 글의 구조를 파악해 중요한 내용이 드러나게 요약한다. -(하)글을 읽고 글의 구조를 파악하지 못하여, 중요한 내용이 드러나게 요약하지 못한다.
	*사회-고구려, 백제, 신라, 발해 문화의 우수성을 설명하기 *평가기준 -(상/중)고구려, 백제, 신라, 발해의 대표적인 문화유산에 대한 (다양한) 역사 정보를 (분석해/활용해) 고대 사람들이 이룩한 문화의 우수성을 (설명/제시)한다. -(하)역사 정보를 활용해 고구려, 백제, 신라, 발해의 대표적인 문화유산에 대해 말한다.

매체 자료 읽고 정보 요약 정리하기	문화유산책 (북크리에이터)	문화유산해설가	배움공책(캔바)

절기살이 -연중, 6학년 연계-

아침 시간 가볍게 산책을 하며 절기살이를 시작한다. 내가 생각하는 절기살이란 계절이 바뀌며 변화하는 주변을 인식하는 것, 절기에 따라 변화하는 생활 모습을 알아채는 것이다. 교사인 내가 먼저 느낄 수 있어야 수업으로 구현될 수 있다. 지구는 에너지를 어디에서 얻을까 묻고, 그 에너지에 따라 철 따라 변화하는 자연의 모습을 느끼며 표현해보게 한다.

수업 주제	산책, 식물 관찰, 식물 그리기, 절기 알기, 절기 그림 그리기, 텃밭가꾸기-감자, 오이(꽈리, 청양)고추, 방울토마토, 무 기르고 거두기, 날씨 변화(2학기)
교과(영역)	국어 5-1-3. 글을 요약해요, 창(자) 아리따움(흙사랑), 과학 5-1-2. 태양계와 별, 실과 4. 생명기술시스템과 동식물, 미술(1.내 마음을 끄는 것들, 4.경험을 생생하게)
관련 성취 기준	[6국02-02]글구조 고려, 전체 내용 요약 [6국03-03]알맞은 형식과 자료 사용, 설명하는 글 쓰기 [6실04-01]가꾸기와 기르기 의미, 동식물 자원의 중요성 [6실04-02]생활 속 식물 가꾸기 활동 실행 [6과02-01]지구의 에너지원 * 5학년 식물학/성취기준 6-1-4.식물의 구조와 기능 단원 연계 [6과12-02]식물의 전체적인 구조 관찰과 실험을 통해 뿌리, 줄기, 잎, 꽃의 구조와 기능을 설명할 수 있다. [6과12-03]여러 가지 식물의 씨가 퍼지는 방법을 조사하고, 씨가 퍼지는 방법이 다양함을 설명할 수

	있다. * 6-2-2.계절의 변화 [6과14-02]계절 따른 남중고도, 낮과 밤 길이, 기온 변화 설명 [6과14-03]계절 변화 원인은 지구 자전축 기울어진 채 공전
평가 계획	*실과-채소 모종과 꽃의 씨앗을 심고 가꾸기 -작물을 식용, 원예, 공예 작물로 분류하는 기준 알고 분류하기
	*미술(감상)-다양한 감상 방법을 알고 활용하기 *평가기준 -(상/중)미술 작품을 감상하는 다양한 방법을 알고 (활용하여) 작품의 특징, 자신의 느낌과 생각을 (구체적으로) 설명한다. -(하)미술 작품을 감상하는 다양한 방법이 있음을 안다.
	*국어-1.주제에 어울리는 설명 방법으로 글쓰기 2.대상의 특성을 생각하며 설명하는 글 쓰기/절기살기에 따른 식물(모습, 변화 등) *평가기준1-(상/중/하)주제 어울리는 설명틀 짜고, 세부 내용이 주제와 (밀접/연관성 부족)하여 계획한 내용 (대부분/일부분)을 글에 담아 표현한다. *평가기준2-(상/중/하)대상의 특징에 (알맞은 설명 방법에) 따라 내용을 정리하고 설명하는 글을 (쓴다/쓰지 못한다)

절기 '청명' 습식

보리 관찰

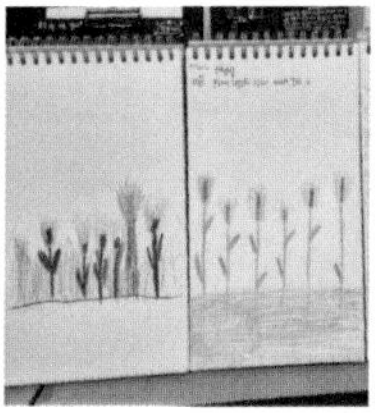

그림 그리고 시 쓰기

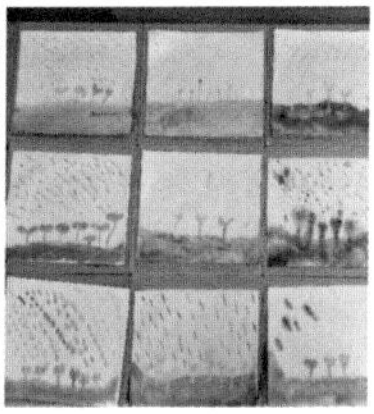

절기 '곡우' 습식수채화

여기, 지구 장터 & 체험 부스

-11월, 아나바다 & 진로부스 운영(4,5,6학년 공동교육과정)-

2학기 다모임에서 아나바다 장터와 체험부스 운영을 하고 싶다는 의견이 나왔다. 희망하는 부스를 모집하고 전학년 투표를 통해 슬라임, 페이스페인팅&꾸미기&사진, 퀴즈&게임존, 디폼블럭, 요리체험 부스가 정해졌다. 2일간 장터와 체험부스 운영, 장기자랑으로 겨울에 신나데이를 진행하기로 하고, 4,5,6학년 다모임조별로 부스와 아나바다 장터 가게를 맡아 계획하고 필요한 재료를 구입하여 체험 부스를 꾸미고, 전학년을 대상으로 운영하여 기부금은 오산면 경로당을 방문하여 기부하기로 했다. 아끼고 나누고 바꾸고 다시 쓰면서 불필요한 지출과 쓰레기를 줄이는 환경을 위한 나눔으로, 우리 생활과 지구를 위한 긍정적인 실천이자, 학생주도적인 다모임 자치활동을 통해 자주적인 태도를 길러주고자 한다.

수업 주제	체험부스 운영 계획서 제출, 부스 선정 투표하기, 부스별로 진행 방법 토의하기, 필요 물품 준비하기, 체험부스 운영하기, 아나바다 물품 모으고 분류하여 가격 정하기, 장터와 체험부스 꾸미기, 아나바다 장터 운영, 체험부스 운영, 수익금 정산하기
교과(영역)	창체 아리따움, 창체 진로, 실과 6.일과 직업 탐색, 도덕 5.갈등을 해결하는 지혜, (6학년) 사회 6-2-2(3).지속 가능한 지구촌
관련 성취기준	[6도03-04]세계화 시대에 인류가 겪고 있는 문제와 그 원인을 토론을 통해 알아보고, 이를 해결하고자 하는 의지를 가지고 실천한다. [6사08-06재구성]지속가능한 미래를 위한 친환경적 생산과 소비를 조사하고, 세계시민으로서 이에 적극 참여하는 방안을 모색한다. [6사06-02]여러 경제활동의 사례를 통하여 자유경쟁과 경제 정의의 조화를 추구하는 우리나라 경제체제의 특징을 설명한다.
평가계획	*창의적 체험활동(자율-아리따움) *평가기준 -(상/중/하)불필요한 지출과 쓰레기를 줄이는 환경보호 실천에 (주도적으로) (참여/참여하지 못)한다.
	*도덕-지구촌 문제와 원인을 파악하고 이를 해결하기 위해 실천하기 *평가기준 -(상/중)지구촌 문제와 원인을 (잘) 파악하고 (적절한) 해결 방안을 제시하며, 이를 해결하고자 하는 의지를 가지고 (꾸준히 실천/실천하려고 노력)한다.

	-(하)지구촌 문제와 원인을 생각해 볼 수 있고 이를 해결하고자 다짐한다.

여기,지구장터 & 체험 부스운영 준비 다모임	페이스페인팅&꾸미기 &인생네컷 부스 운영	슬라임 체험부스 운영	여기, 지구장터 운영

하고 싶은 이야기는 언제나 마지막에

-12월, 우리반 글 모음집 만들기-

5학년을 마무리하며 12월부터는 글공책에서 그동안 써왔던 시와 글 중에서 학급과 학교문집에 실을 글을 고른다. 학급 전체가 동그랗게 모여 앉아 친구들의 글을 읽으며 고쳐쓰기 작업을 한다. 친구들의 의견을 반영하여 글을 수정하고 문서작업을 한다. 우리반 글 모음집에는 이름 삼행시와 선생님, 친구들, 자기 자신에게 하고 싶은 말, 계절별 신나데이와 수학여행, 현장체험 등 학급과 학교 행사 또는 개인적으로 경험한 글, 온책읽기로 읽었던 '마사코의 질문', '블랙아웃', '복제인간 윤봉구', '홍계월전' 등의 독후감, 절기살이로 쓴 시와 그림들을 넣어 학년말에 발간하려고 한다.

수업 주제	겪은 일이 드러나게 글쓰기, 다양한 종류의 글쓰기, 문장을 고치는 방법 알기, 교정부호 종류와 사용법, 고쳐쓰기-삭제하기, 부가하기, 구성하기, 문장 호응이 잘못된 부분 고치기, 한글문서 작성하기, 사진 선택하기, 글 모음집 편집하기
교과 (영역)	국어 5-2-2. 지식이나 경험을 활용해요, 5-2-4. 겪은 일을 써요.
관련 성취 기준	[6국04-05]국어의 문장 성분을 이해하고 호응 관계가 올바른 문장을 구성한다. [6국05-02]작품 속 세계와 현실 세계를 비교하며 작품을 감상한다.
평가 계획	*국어-체험한 일을 바탕으로 지식이나 경험을 떠올려 감상이 드러나는 글쓰기 *평가기준 -(상/중)체험한 일을 바탕으로 하여 지식이나 경험을 (자세히) 쓰고, 체험한 일에 대한 감상이 (생생히) 드러나는 글을 쓴다. -(하)체험한 일이나 체험한 일에 대한 감상이 드러나는 글을 쓰지 못한다.
	*국어-문장 성분의 호응 관계가 바르지 않은 문장을 찾아 바르기 고치기 *평가기준 -(상/중/하)문장 성분의 호응 관계가 바르지 않은 문장을 (네/세/두) 가지 (이상/이하) 찾아 고치고 그 까닭을 설명한다.

교사교육과정의 실천

5학년 학년교육과정 설계과정
존중 프로젝트
일상의 수업 (수학 수업 루틴)

함열초 교사 강성화

5학년 학년교육과정 설계과정

함열초 교사 강성화

Time table

학년 교육과정이 만들어지기까지

1차

01 사전 회의

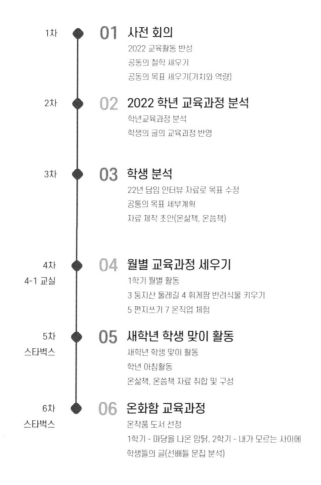

2022 교육활동 반성
공동의 철학 세우기
공동의 목표 세우기(가치와 역량)

2차

02 2022 학년 교육과정 분석

학년교육과정 분석
학생의 글의 교육과정 반영

3차

03 학생 분석

22년 담임 인터뷰 자료로 목표 수정
공통의 목표 세부계획
자료 제작 초안(온삶책, 온씀책)

4차
4-1 교실

04 월별 교육과정 세우기

1학기 월별 활동
3 둥지산 둘레길 4 휘게팜 반려식물 키우기
5 편지쓰기 7 온직업 체험

5차
스타벅스

05 새학년 학생 맞이 활동

새학년 학생 맞이 활동
학년 아침활동
온삶책, 온씀책 자료 취합 및 구성

6차
스타벅스

06 온화함 교육과정

온작품 도서 선정
1학기 - 마당을 나온 암탉, 2학기 - 내가 모르는 사이에
학생들의 글(선배들 문집 분석)

학년 교육과정이 만들어 지기까지

학생 분석

초등학교의 **학년 교육과정 설계의 문제점**은 학생을 만나기 전 또는 만난지 얼마 안되는 시간에 교육과정을 설계해야 한다는 점입니다. 그래서 생기는 문제는 학생들을 고려하지 못한 채 교육과정이 설계된다는 점입니다. 이를 해결하기 위해 이미 알고 있는 전 학년(4학년) 선생님과의 인터뷰를 1학기가 시작하기 전인 2월에 하였습니다. 인터뷰를 하고 동학년 선생님과 공유하였습니다. 인터뷰를 통해 ① 학생들의 가치기준이 모호하다 ② 몸장난이 심하며 몸장난이 싸움이 되는 경우도 있다. ③ 같은 반이어도 비슷한 환경의 친구들끼리 그룹화 되어 있다 ④ 자기 표현력이 부족하다 ⑤ 자존감이 부족하다 ⑥ 기초학력 부진이 많다 라는 점을 알았습니다.

교사의 철학

학교 5학년 선생님은 3명입니다. 학년 교육과정을 만들기 위해 가장 먼저 한 일은 교사의 철학을 반영하기 위해서 작년의 교육과정을 반성(좋.아.바.)하고 교사들간의 **공동의 목표**를 정하는 일이었습니다. 교사 각자가 학생에게 필요한 가치들을 찾았습니다. 공통으로 중요한 가치를 선정하였습니다. [버츄 프로젝트] 52가지 미덕 중 3가지과 여러 논문에서 발췌한 역량들 중에 3가지를 골랐습니다. 함께 고른 미덕은 책임감, 존중, 자존감이었습니다. 그리고 윤리의식, 관계구축, 자기관리의 역량이 필요하다고 생각했습니다. 여기에 한가지 더하여 학생들에게 필요한 문해력을 키우는 것으로 정하였습니다.

교육과정 설계

각 가치를 어떻게 하면 채워줄 수 있을까를 고민했습니다. 책임감을 길러주기 위해 아침활동이나 과제의 체크리스트를 만들어 학생들이 끝까지 할 수 있도록 확인하고 격려하였습니다. 작년의 학생들의 경우 미술 시간에 완성하지 않는 경우가 많아 끝까지 완성할 수 있도록 하였습니다.

존중의 경우 욕설을 많이 하는 분위기를 바꾸기 위해 별도의 프로젝트 운영으로 하였습니다. 자존감은 학생들이 나 자신을 알아가는 과정과 진로를 연결시키는 프로젝트 수업과 평소에 그릿 훈련으로 키워주기로 하였습니다. 그리고 윤리의식, 관계구축, 자기관리는 수업을 하며 프로젝트 형태로 진행하기로 하였습니다.

5학년 교육과정 운영

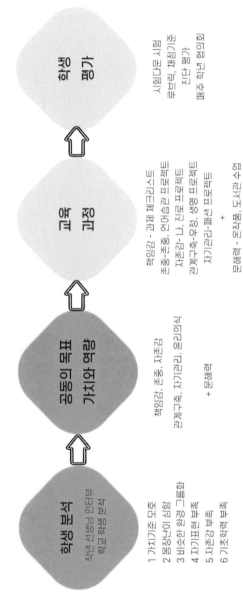

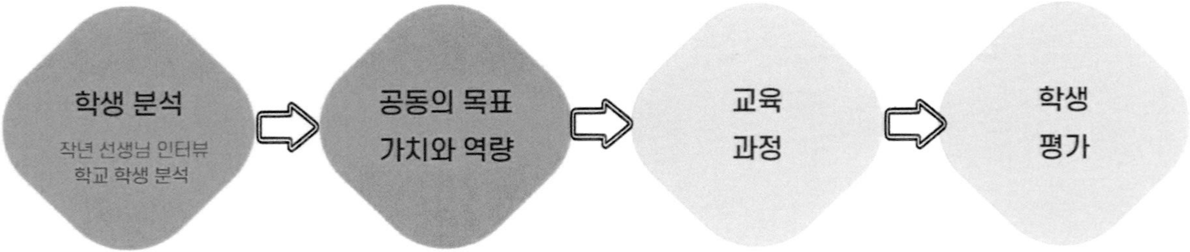

1 가치기준 모호
2 몸장난이 심함
3 비슷한 환경 그룹화
4 자기표현 부족
5 자존감 부족
6 기초학력 부족

책임감, 존중, 자존감
관계구축, 자기관리, 윤리의식

+ 문해력

책임감 - 과제 체크리스트
존중-존중, 언어습관 프로젝트
자존감- 나, 진로 프로젝트
관계구축-우정, 생명 프로젝트
자기관리-패션 프로젝트
+
문해력 - 온작품, 도서관 수업
교과 - 교과별 지도 루틴

시험다운 시험
루브릭, 채점기준
진단 평가
매주 학년 협의회

5학년 교육과정 설계과정을 도식화하면 옆과 같습니다.

온화함 교육과정

문해력 수업

온작품 읽기

1-마당을 나온 암탉
2-내가 모르는 사이에

월별 영화 수업

영화감상문

빌레엘리어트
메이의 새빨간 거짓말
쥬토피아
엘리멘탈
크루엘라
말모이

온씀책, 온삶책

온삶책 선배 글 읽기
온씀책 주 2회 아침글쓰기
독서 통장
현장체험학습 기록장

도서관 수업

도서관에서 읽기 수업
시 쓰기

예) 문해력을 키우기 위한 온작품 수업

학생들의 문해력을 평가 하였습니다. 평가 결과 5학년 학생들의 문해력이 낮다는 점과 코로나를 겪으며 학생들이 상호간의 관계구축이 되지 않는다 점에 주목하여 새로 운 글 보다 학생들에게 필요한 많은 이야기를 나눌 수 있는 도서를 선정하고자 하였고 동학년 선생님과 협의 끝에 온작품 도서로 [마당을 나온 암탉] 선정하였습니다.

온작품을 읽으면서 좋은 글 읽기의 과정을 경험하고 단어와 문장에 대한 깊이를 더하는 학습을 계획하였습니다. 주인공(잎싹)에 감정이입하는 것을 주요 목표로 두었습니다.

마당을 나온 암탉을 읽은 경험으로 읽기의 즐거움을 느끼고 독서하는 습관과 연계되도록 도서관에서 책 읽기로 이어지도록 하였습니다. 학생들의 문해력을 기르는 방법 중 가장 좋은 방법은 읽기입니다. 읽는다는 것은 학생의 내면과 세상(텍스트)가 상징을 도구로 하여 관계를 맺는 것이라고 할 수 있습니다. 이런 관점에서 학생들의 텍스트 읽기를 어려워하며 단어의 깊이 있는 의미 파악에 어려움이 있었습니다. 등장인물에 대해 감정이입을 제대로 하지 못하였습니다. 이는 책을 떠나 학생들의 상호간의 인간 관계에서도 마찬가지였습니다. 온작품으로 학생들의 생각들을 일부 알 수 있는 시간이었고 향후 무엇에 초점을 맞춰 교육 해야 하는가에 대해 고민할 수 있었고 각 프로젝트에서 줄글 읽기와 도서관 수업, 책이나 기사 등의 텍스트를 이용하여 수업 하는 등의 수업으로 이어졌습니다.

온작품 읽기 수업의 단계

[1차시] 책과 인사하기-표지 살피기

- 책 날개 및 황선미 동화작가 인터뷰 보기
- 작가의 말 읽기

[2~8차시] 마당을 나온 암탉 함께 읽기

- 소리 내어 읽기,
- 책속에서 보물 같은 문장 찾기
- 감정을 나타내는 단어에 공감하기

[9차시] 독서 토론 '잎싹이처럼 내가 나오고 싶은 마당은?'
'동물권과 동물은 인간을 위해 소비되도 괜찮을가?'
[10차시] 독서 토론 '마당식구들은 잎싹을 받아들여야 하는가?'
[11차시] 애니메이션 명장면 감상
- OST'바람의 멜로디' 듣기, 신체표현하기
[12차시] 인상 깊었던 한 장면 연극하기
[13차시] 책읽는 습관 기르기 위한 도서관 수업

평가

우리는 왜 평가를 할까요? 저는 학생들을 사고과정이나 마음을 확인하기 위해서 평가를 한다고 생각합니다. 눈빛만 봐도 학생의 내면을 전부 알 수 있으면 좋으련만 그렇지 않아서 교사가 학생을 이해하려는 과정이 필요합니다. 그리고 그 과정이 평가라고 생각합니다. 보다 정확한 평가를 위해서는 학생들의 행동을 객관적으로 보고 그 결과물을 해석하는 것이 필요합니다. 학생에 따라 다르지만 해석은 몇 초가 될 수 도 있고 몇 달이 될 수 있습니다. 해석에 대한 결과는 학생에게 돌아가야 합니다. 교육적인 소통이며 다른 말로 피드백이 될 것입니다. 교육과정의 평가는 정형적일 수도 비정형적일 수도 있습니다. 평가의 목표가 피드백이라면 학생에 대한 교사의 반응은 정형적일 때보다 비정형적인 경우의 빈도가 훨씬 더 많습니다. 일상의 평범한 수업들이 중요한 이유입니다.

5학년 [존중] 프로젝트

함열초 교사 강성화

학생 분석

학기 초 학생들의 언어 생활에서 부족한 점이 많다고 생각했습니다. 학생들을 생활적인 면에서 관찰하였을 때 욕설하거나 비난하거나 상처가 되는 말들을 서스름 없이 하는 경우를 많이 보았습니다. 바탕에서는 상호간의 존중이 없어서라고 생각이 들었습니다.

교사의 철학

그래서 학생들 간에 서로 존중하는 문화가 생겼으면 좋겠다고 생각했습니다. 언어의 중요성을 알고 나의 생각과 마음을 표현 하는 언어가 욕설 대신 다른 것들로 할 수 있다는 것을 알려주고 싶었습니다. 또한 서로를 존중하는 마음이 자라나면 서로 때리는 심한 몸장난이나 욕설이나 패드립이 줄어들 것으로 생각했습니다. 서로를 존중하는 태도를 길러주기 위하여 존중 프로젝트를 시작하였습니다.

성취기준

[6국01-07]상대가 처한 상황을 이해하고 공감하며 듣는 태도를 지닌다.

[6도02-02]다양한 갈등을 평화적으로 해결하는 것의 중요성과 방법을 알고, 평화적으로 갈등을 해결하려는 의지를 기른다.

교육과정

■ 존중의 실천결과물 게시하기(이젤패드)

- 존중을 실천한 결과물을 게시하여 학생들이 존중의 태도를 잃지 않도록 함

■ 하루에 한명 칭찬하기(존중의 실천)

- 체크리스트 활용하여 같은 반 친구를 한명한명 관찰하고 칭찬하기
- 활동 마무리 후 롤링페이퍼 만들기

■ 그림책에 잠기기

- "낱말공장 나라" 함께 읽고 생각 나누기
- 몇 가지 낱말로만 하루를 살아보기

■ 존중의 언어로 바꾸기

- '버려야 하는 말', '간직해야 할 말'구분하기
- '버려야 하는 말' 고쳐보기

■ **생활속 매너 배우기**
- 생활속에서 서로 존중의 행동 알아보기

■ **그림책을 통한 사색**
- "울타리 너머"속에서 찾는 존중

■ **감정카드를 활용한 내 마음 살피기**
- 친구에게 느끼는 내 주된 감정은 뭘까?
- 서로 상호 간 칭찬하기

■ **그림책에 잠기기**
-"사랑,사랑,사랑" 읽고 나에게 존중을 정의해보기

■ **모든 활동 마무리 후 5학년 다모임**
- 존중의 규칙 재정하기

평가

학생들의 언어습관을 고치기 위해 준비할 수업이었습니다. 존중이라는 가치는 1년 내내 가르쳐야 함에도 해당 프로젝트가 굉장히 효과적이었다고 생각합니다. 욕설이 다른 사람에게 상처를 준다는 사실과 욕설 이외에도 다른 말로 자신의 생각과 감정을 표현할 수 있다는 사실, 욕설이 부끄러운 행동이라는 분위기가 생겨난 것 같습니다. 한 번의 프로젝트로 아이들이 바뀐다고 생각하지는 않습니다. 이를 기회삼아 반복적이고 지속적인 지도와 학생들을 변화시킬 수 있다는 의지가 필요할 것입니다.

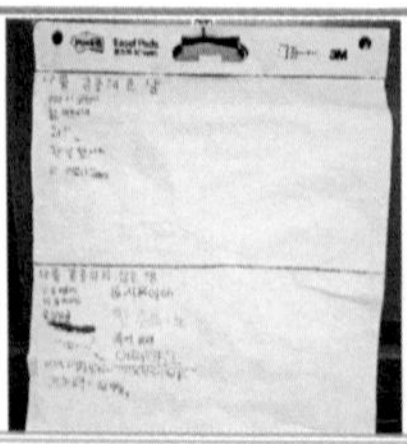

존중의 언어로 바꾸기

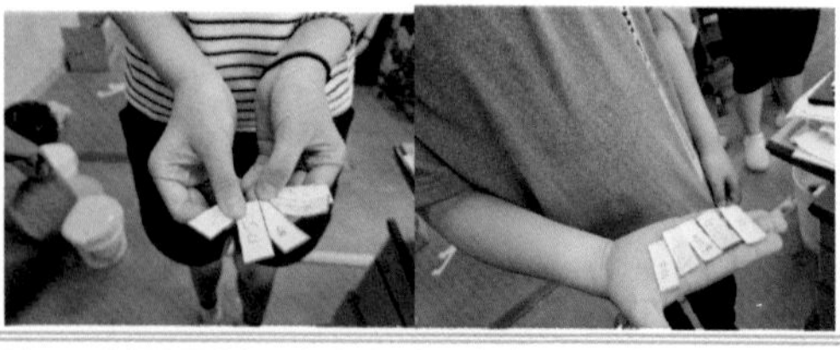

하루종일 다섯가지 단어로 생활하기

5학년 일상의 수학 수업

함열초 교사 강성화

학생 분석

학생들의 진단평가를 보았을 때 결과가 충격적이었습니다. 18명의 학생 중 6명이 기초학력 부진이 나왔습니다. 수학의 기초가 부족해보였습니다. 수학 수업 시간에 학생들을 면밀하게 관찰한 결과 받아 올림이 있는 곱셈과 나눗셈을 헷갈려하는 학생들이 4~5명 정도 있었습니다. 수학에서 기초가 시급해 보였습니다.

교사의 철학

[수학에서 교사의 전문성]

교사의 전문성은 **다시 되돌아가는 것**에서 나온다고 생각합니다. 학생들이 어려움을 겪을 때 학생 눈높이에 맞춰 배웠지만 잊어버릴 내용을 다시 가르치는 것이 교사의 전문성이 발휘되는 순간입니다.

[수학에 대한 안목]

수학은 정의, 증명, 문제 도출로 이루어져 있다고 생각합니다. 그리고 이 정의, 증명, 문제 도출은 초등학교 수학에서 정의(약속하기), 증명(문제풀기), 문제 도출(식 세우기)로 구현되었다고 생각합니다. 1 정의를 가르칠 때에는 개념에 대한 정의를 분명하게 하려 노력합니다. 특정 개념이 어떤 개념에 포함되어 있는지(예를 들어 분수는 수에 포함된 개념), 그리고 그 개념이 결정적인 속성이 무엇인지를 짚어주려 합니다. 2 증명(문제풀이)은 교사의 풀이 과정을 보여주고 학생들이 따라 하도록 합니다. 이 풀이 과정에서 절차적(알고리즘적)으로 풀이하도록 하고 학생들이 연습할 수 있는 기회-수학의 문제, 수학익힘 과제-를 줍니다. 3 문제 도출(식 세우기)은 보통 학생들이 어려워하는 문장제 문제에 많습니다. 문장제 문제를 풀 때에 문장에 쓰인 단어가 추상적인 수학에서 어떻게 표현되는지를 알려주려고 합니다.

수학 수업

[학기초 수학 용어의 기초]

가장 먼저 '=' 기호를 가르쳤습니다. 학생들은 보통 는이라고 읽고 어떤 의미를 가지는지 알지 못했습니다. 같다라는 의미를 가진 기호라는 것을 알려주었습니다. 그리고 매 수학 시간에 순회지도를 할 때 학생들이 '='의 기호를 쓰지 않은 경우 쓰도록 하고 의미에 맞지 않게 경과의 의미로 쓸 때도 뜻을 반복하여 지도하였습니다. 그리고 수와 숫자에 대해 가르쳤습니다. 수의 역사로 아프리카 콩고에서 발견된 이상고의 뼈에서 원시인이 기록 한 수를 이야기 하였습니다. 표현하려는 수가 커질 때 원시인들의 불편함을 이야기 하였습니다. 고대의 마야 문명과 로마 숫자를 이야기하고 아라비아 숫자에 대해 이야기 했습니다. 그리고 **사칙연산 기호**와 그 의미에 대해 함께 이야기 나누었습니다. 사칙연산의 모든 의미를 가르치진 않았습니다. 학생들이 혼란스러울 것이라고 생각하기 때문입니다.

[수학 수업의 루틴]

5학년 학생들이 배우는 교과서는 1. 생각열기, 2. 탐구하기, 3. 정리하기, 4. 확인문제, 5. 생각솔솔의 단계로 이루어져 있습니다.

수업을 시작하면 지난 시간에 배운 개념을 떠올리게 합니다. 5~10분 정도 소요됩니다. 개념에 대한 분명한 이해가

생각 열기에서 문장제 문제로 시작을 하기 때문에 학생들에게 수감각을 키워주기 위해서 머릿속으로 상황을 상상하고 단순화된 그림으로 풀이과정을 보여줍니다. 그리고 개념을 도입하고 문장의 단어들을 숫자로 바꾸어 줍니다.

탐구하기에서 함께 풀어본 문제를 학생들 스스로 풀고 정리하기의 개념을 공책에 따로 정리합니다. 그리고 확인문제와 생각솔솔의 문제를 풉니다. 모두 푼 학생들은 모둠 내 다른 친구들을 돕게 합니다. 교사는 그동안 **느린 학습자의 눈높이에 맞춰 지도**합니다.

평가

학생들의 **수학적 사고과정**을 가르치려고 노력했지만 다인수 학급에서 그 과정을 확인하기는 쉽지 않습니다. 그럼에도 각 단원이 끝날 때마다 수학책의 단원마무리와 별도의 학습지에 있는 20개의 문제를 풀게 하였습니다. 문제를 통해 학생들의 개념을 점검하고 사고과정을 점검하였습니다. 이 과정으로 학생 한 명 한 명의 수준을 파악하고자 하였습니다. 공통으로 많이 틀린 문제는 어떤 점을 주의 깊게 봐야 하는지 설명하며 같이 풀었습니다. 학생마다 처한 수준이 상이하여 개별적으로 봐주는 시간을 늘렸습니다.

현재는 학생들이 시험 성적이 올라서 자신감이 생기는 변화를 보았습니다. 모든 학생이 자신감이 생긴 것은 아니지만 대체로 공부에 대한 부담감이 줄고 시험에 관한 생각들이 많이 바뀌었습니다. 심지어 시험을 보자고 조르는 학생도 있습니다. 학생들 스스로가 자신의 성장에 기뻐하는 모습에 교사로서 **효능감과 행복감**을 느끼는 시간이었습니다.

교사교육과정의 실천

6학년 익다와 설다의 너나들이 [사회, 과학, 실과]

성북초 교사 김성범

6학년 익다와 설다의 너나들이 [사회, 과학, 실과]

성북초 교사 김성범

학생 분석

저희 학교는 지리적으로 익산시에 있지만 전라북도와 충청남도의 경계에 위치하고 있어서, 실제 학생들이 생활하는 주된 공간은 충청남도 강경, 논산 지역입니다. 학생들은 익산 지역의 학교에 다니고는 있지만 정작 우리 고장 익산에 대한 이해와 지식이 부족합니다. 전반적으로 학습에 대한 흥미는 적은 편이지만, 환경, 역사, 인공지능과 같은 내용에 호기심을 보이고, 자신들이 좋아하고 관심 있는 분야에 대해서는 매우 높은 흥미와 적극성을 보이는 특성을 갖고 있습니다.

교사의 철학

저는 행복한 삶을 위해서는 평가의 주도권을 자기 자신이 가지고 있어야 한다고 생각합니다. 이 평가는 다른 이들에 의한 외부적인 평가가 아닌, 자기 자신에 대한 내적인 평가를 의미합니다. 저는 우리 학생들이 자기 자신만의 기준을 세우고 중심을 잡아 당당하게 자신을 표현할 수 있는 사람으로 성장할 수 있도록 가르치고자 합니다. 그렇게 하기 위해서 "교육은 양동이를 채우는 것이 아닌 불을 피우는 것"이라는 말처럼 학생들이 자기 자신을 발견하고 표현하며 내적인 가치를 인정하고 존중받는 환경에서 성장하도록 지원하고, 학생들이 각자의 독특한 역량과 비전을 실현할 수 있도록 도와주는 교육이 제가 하고 싶은 교육입니다.

교육과정

제가 학생들과 함께한 수업을 한마디로 표현하면 '익다'와 '설다'의 너나들이라고 할 수 있을 듯합니다. '익다'에서는 학생들이 좋아하고 관심 있는 것들을 활용하여 학생들에게 무엇을 줄 수 있을까 고민하였습니다. 동시에 학생들에게 낯설지만 한 번쯤은 생각해 보거나 알았으면 하는 내용을 '설다'로 정하고 학생들과 수업을 진행하였습니다.

먼저 '익다'에서는 학생들이 평소 관심 있어 하던 환경과 인공지능을 활용하여 수업을 구성하였습니다. 인공지능이 무엇인지 알아보고 우리나라의 평균 기온 데이터를 활용하여 우리나라의 미래를 예측해보았으며, 환경 문제를 해결할 방법에 대해 고민하고 머신러닝을 활용하여 이를 실행에 옮겨보는 수업을 진행하였습니다. 여기에 다양한 인공지능 도구들을 활용하여 다양한 활동들을 시도해 보았습니다.

'설다'에서는 익산 지역의 주변인과 같은 우리 학생들에게 익산에 대해 무엇을 남겨줄까 고민하던 끝에, 익산을 대표하는 문화재인 미륵사지에 대해 깊이 있는 학습을 진행하고자 하였습니다. 이를 위해 국립중앙박물관과 국립익산박물관에서 제작한 미륵사지 교육 상자를 이용한 수업과 학생 활동 중심의 역사 현장체험학습을 통해 역사교육을 진행해 보았습니다.

다음은 '익다'와 '설다'의 전체적인 흐름과 몇 가지 수업 사례입니다.

'익다': 인공지능과 함께하는 지구 지킴이 프로젝트	
대상	초등학교 6학년
교육 목표	지구촌에서 나타나는 환경 문제에 대해 인식하고 환경 보호를 위한 다양한 노력을 실천함으로써 조화로운 삶을 살아가는데 필요한 의지와 역량을 기른다.
수업 의도	본 학습은 학습자가 환경에 대한 다양한 경험을 통해 감수성을 갖고 자신의 주변과 지역 환경에 관한 탐구를 통하여 인간과 환경의 관계를 이해하는 것을 목표로 합니다. 학생들은 본 학습을 통해 일상생활의 환경 문제를 인식하고 해결하는 기초적인 능력을 기르고, 지속 가능한 미래를 위해 세계시민으로서 참여하는 경험을 할 수 있을 것으로 기대합니다.

학습 요소	교수·학습 활동	관련 교과
해결할 문제 확인하기	1차시 • 프로젝트 도입 • 다양한 환경 문제 조사하여 발표하기	국어
	2차시 • Animated Drawing, Google Arts & Cultures를 사용해보고 인공지능에 대해 알아보기	실과 미술
	3~4차시 • AI페인터, 투닝을 활용하여 환경 문제의 심각성을 알리는 웹툰 만들기	사회 실과 미술
자료 수집 및 해결 방법 도출하기	5차시 • 엔트리 기본기능, 데이터 분석 익히기	실과
	6~7차시 • 엔트리 데이터 분석을 활용하여 우리나라 연평균 기온 변화 예측하기 - [활동 1] 지구촌 환경 문제 알아보기 - [활동 2] 우리나라 기온 변화 예측하기 - [활동 3] 기온 변화에 따른 지구의 모습 상상하기	사회 과학 실과
	9~10차시 • 엔트리, 피지컬 컴퓨팅을 활용하여 에너지를 효율적으로 이용하는 스마트홈 구축하기	과학 실과

해결 방법 실행 하기	11차시 • 엔트리 머신러닝 익히기	실과
	11~12차시 • 엔트리 머신러닝을 활용하여 분리수거 로봇을 만들고 지속 가능한 미래를 만드는 방안을 찾아 실천하기 - [활동 1] 지속 가능한 미래 알아보기 - [활동 2] 환경 문제를 해결하기 위한 개인, 기업, 국가의 노력 알아보기 - [활동 3] 인공지능 분리수거 로봇 만들기	사회 실과
	13차시 • 환경을 생각하는 생산과 소비 생활을 알아보고 뤼튼을 활용하여 이에 대한 공익 광고 만들기	사회 미술
정리 및 평가	14~15차시 • DALL-E 2, 북크리에이터를 활용하여 환경보호에 대한 학급 그림책 만들기	국어 미술
	16차시 • Moral Machine을 통한 인공지능 윤리 생각해보기	도덕
	17차시 • 프로젝트 정리 및 평가	

‘익다’ 6~7차시 교수·학습지도안		
학습 목표	데이터 분석을 활용하여 우리나라 연평균 기온 변화를 예측해봅시다.	
학습 단계	**교수·학습활동**	**자료 및 유의점**
도입	**◎ 학습 동기 유발** ·지난 100년 동안 지구 평균 온도가 얼마나 올랐을지 예상하기 ·영상 ‘6도의 비밀’을 보고 내용을 살펴보기 **◎ 학습 목표 확인** 데이터 분석을 활용하여 우리나라 연평균 기온 변화를 예측해봅시다.	㉶ 영상자료
전개	**◎ 〈활동1〉 지구촌 환경 문제 알아보기** ·지구촌에서 나타나는 다양한 환경 문제를 조사하여 학급 패들렛에 공유하기 **◎ 〈활동2〉 우리나라 기온 변화 예측하기** ·엔트리의 데이터 분석과 인공지능 모델을 활용하여 우리나라 기온이 어떻게 변화할지 예측하기 ·엔트리에 연평균 기온 데이터를 불러와 ‘예측: 숫자’ 모델 학습시키기 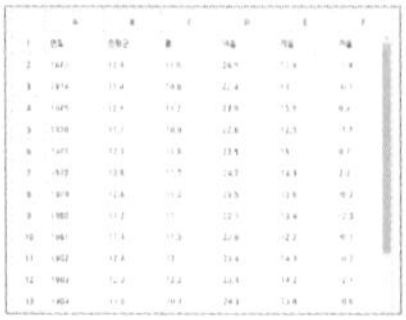 	㉶ 패들렛 ㉶ 우리나라 평균 기온 변화 데이터 ㉸ 데이터 속 인공지능 학습에 필요한 속성(연도, 평균 기온)을 학생이 찾도록 안내한다. ㉶ 학습지

<table>
<tr>
<td></td>
<td>·학습시킨 인공지능 모델을 활용하여 예측을 원하는 연도를 물어보고 예측값을 대답해주는 프로그램을 제작하기

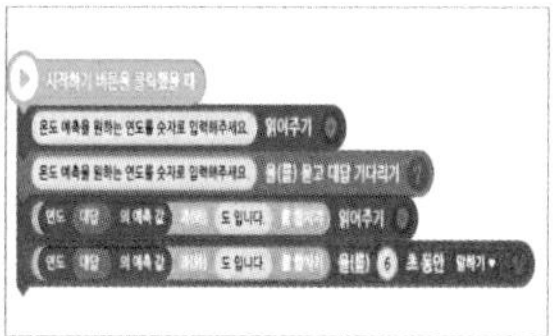

·프로그램을 사용하여 앞으로 30년 뒤 우리나라 평균 기온은 어떻게 될지 예측해보고 그렇게 생각한 까닭을 설명해봅시다.

◎ 〈활동3〉 기온 변화에 따른 지구의 모습 상상하기
·평균 기온이 올랐을 때 앞으로 어떤 일이 일어나게 될지 상상하여 패들렛에 공유하기
·영상을 보고 지구의 평균 기온이 상승할 때 어떤 일이 일어날지 살펴보기</td>
<td>㊌ 프로그램의 주요 기능에 중점을 두고 간단한 블록들을 활용하여 제작한다.

[자] 패들렛

[자] 영상자료</td>
</tr>
<tr>
<td>정리</td>
<td>◎ 학습 내용 정리하기
·오늘 학습한 내용을 정리하기
- 플라스틱 문제, 사막화, 이상기온 등 다양한 환경 문제가 발생하고 있음.
- 최근 100년간 지구 평균 기온은 1도 상승했고, 앞으로 온도는 더 상승할 것으로 예상됨.
- 다양한 환경 문제에 관심을 가지고 환경을 보호하기 위한 노력이 필요함.</td>
<td></td>
</tr>
</table>

학습지

[6~7차시] 지구촌에서 나타나는 다양한 환경 문제 알아보기

_____초등학교 ___학년 ___반 ___번 이름 ________

[수업을 시작하며]

1. 지난 100년 동안 지구 평균 온도가 얼마나 올랐을지 예상해봅시다.

[활동1]

2. 내가 알고 있는 지구촌 환경 문제를 적어보고, 지구촌에서 나타나는 다양한 환경 문제를 조사해 Padlet에 공유해 봅시다.

[활동2]

3. 엔트리의 데이터 분석과 인공지능을 활용하여 앞으로의 기온 변화를 예측하는 프로그램을 제작해 봅시다.

프로젝트 분석하기

기온 변화를 예측하는 프로젝트를 분석해볼까요? 빈칸에 들어갈 알맞은 단어를 찾아서 적어보세요.

예측값 / 데이터 / 연도

- 프로그램을 만들기 전 무엇을 해야 할까요?

인공지능에게 [　　　] 를 주고 학습을 시켜요.

- 시작하기 버튼을 클릭했을 때 어떻게 동작해야 할까요?

오브젝트가 "예측을 원하는 [　　　] 를 입력해주세요." 라고 물어봐요.

- 사용자가 연도를 입력하면 어떻게 동작하나요?

오브젝트가 [　　　] 을 말해줘요.

프로젝트 단계 알아보기

기온 변화 예측 프로그램을 단계별로 만들어볼까요?

1단계
- 엔트리에 데이터를 불러와요.
- 불러온 데이터로 인공지능의 '예측: 숫자' 모델을 학습시켜요.

2단계
- 배경과 오브젝트를 준비해요.
- 오브젝트가 예측을 원하는 연도를 묻고 기다려요.

3단계
- 사용자가 연도를 입력하면 오브젝트가 예측값을 말해줘요.

주요 코드 블록 알아보기

프로그램 제작에 사용될 주요 코드 블록들을 알아봅시다.

4. 제작한 프로그램을 바탕으로 앞으로 30년 뒤 우리나라 평균 기온은 어떻게 될지 예측해보고 그렇게 생각한 까닭을 설명해봅시다.

[활동3]

5. 평균 기온이 올랐을 때 앞으로 어떤 일이 일어나게 될지 상상해 봅시다.

[수업을 마치며]

6. 오늘 배운 내용을 정리하고 수업에서 느낀 점을 자유롭게 써봅시다.

'익다' 11~12차시 교수·학습지도안		
학습 목표	머신러닝을 활용하여 분리수거 로봇을 만들고 지속 가능한 미래를 만드는 방안을 찾아 실천해봅시다.	
학습 단계	**교수·학습활동**	**자료 및 유의점**
도입	**◎ 학습 동기 유발** ·영상을 보고 성장, 발전을 위한 개발과 환경보호 중 무엇이 우선이 되어야 할지 생각해 보기 **◎ 학습 목표 확인** 머신러닝을 활용하여 분리수거 로봇을 만들고 지속 가능한 미래를 만드는 방안을 찾아 실천해봅시다.	자 영상자료
전개	**◎ 〈활동1〉 지속 가능한 미래 알아보기** ·지속 가능한 미래에 대해 알아보기 **◎ 〈활동2〉 환경 문제를 해결하기 위한 개인, 기업, 국가의 노력 알아보기** ·환경 문제를 해결하기 위한 개인, 기업, 국가의 노력을 찾아보고 패들렛에 공유하기 **◎ 〈활동3〉** 인공지능 분리수거 로봇 만들기 ·분리수거 도우미 프로그램 제작을 위해 필요한 올바른 분리수거 방법 알아보기 ·엔트리 인공지능의 '분류: 이미지' 모델에서 분리수거 물품을 카메라로 촬영하여 인공지능	자 영상자료 유 개발과 환경보호가 함께 이루어져야 함을 지도 자 패들렛 자 영상자료

	모델을 학습시키기  ·학습한 인공지능 모델을 적용하여 분리수거 프로그램을 제작하기 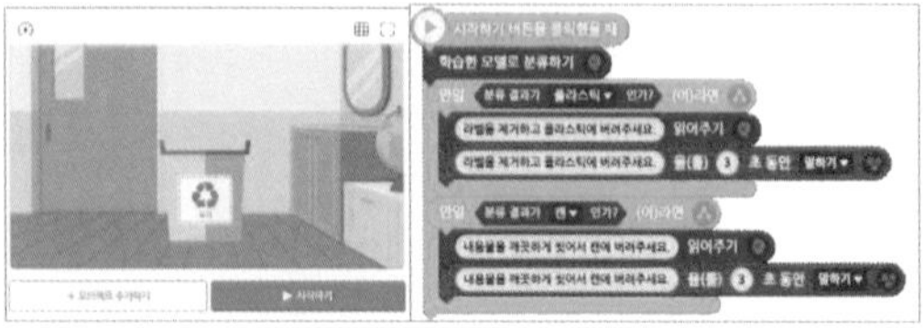 ·제작한 분리수거 프로그램을 활용하여 분리수거를 직접 실천하기	㉶ 페트병, 유리, 캔 등 분리수거 물품 ㊲ 학생의 수준을 고려하여 인공지능 모델을 학습을 위한 클래스 수를 제한할 수 있음 ㊲ 학생 수준을 고려하여 프로그램 제작에 사용할 코드 블록을 교사가 안내
정리	**◎ 학습 내용 정리하기** ·오늘 학습한 내용을 정리하기 - 지속 가능한 미래는 오늘날뿐만 아니라 미래의 환경과 발전을 생각하는 것 - 환경 문제를 해결하기 위해 개인, 기업, 국가는 다양한 노력을 하고 있음 - 분리수거를 위해 인공지능을 활용하여 프로그램을 제작하고 이를 사용하여 분리수거를 실천함	

학습지

[11~12차시] 지속 가능한 미래에 대해 알아보고 지속 가능한 미래를 만드는 방안을 찾아 실천하기

_____초등학교 ___학년 ___반 ___번 이름 ________

[수업을 시작하며]

1. 성장, 발전을 위한 개발과 환경보호 중 무엇이 우선이 되어야 할지 생각해 봅시다.

[활동1]

2. '지속 가능한 미래'란 무엇일까요? 영상을 보고 정리해 봅시다.

[활동2]

3. 환경 문제를 해결하기 위해 개인, 기업, 국가의 노력을 찾아 적어보고 Padlet에 공유해 봅시다.

[활동3]

4. 분리수거 도우미 프로그램을 제작하여 지속 가능한 미래를 위해 분리수거를 실천해 봅시다.

프로젝트 분석하기

분리수거 도우미 프로젝트를 분석해볼까요? 빈칸에 들어갈 알맞은 단어를 찾아서 적어보세요.

캔 / 플라스틱 / 사진

- 프로그램을 만들기 전 무엇을 해야 할까요?

인공지능에게 종류별 분리수거 물품 [   ]을 찍어 학습시켜요.

- 음료수 캔을 카메라에 비췄을 때 어떻게 동작하나요?

오브젝트가 "내용물을 씻어서 [   ]에 버려주세요."라고 말해줘요.

- 페트병을 카메라에 비췄을 때 어떻게 동작하나요?

오브젝트가 "라벨을 제거하고 [   ]에 버려주세요."라고 말해줘요.

프로젝트 단계 알아보기

분리수거 도우미 프로그램을 단계별로 만들어볼까요?

1단계	• 인공지능 '분류: 이미지' 모델에서 분리수거 물품을 카메라로 촬영하여 인공지능을 학습시켜요.
2단계	• 배경과 오브젝트를 준비해요. • 시작 버튼을 클릭하면 카메라가 켜지고 분류를 시작해요.
3단계	• 카메라에 인식된 이미지에 따라 오브젝트가 이미지에 맞는 종류와 분리수거 방법을 말해줘요.
기능 더하기	• 반복하기 블록을 사용하여 여러 분리수거 물품을 분류할 수 있도록 기능을 추가해요.

주요 코드 블록 알아보기

프로그램 제작에 사용될 주요 코드 블록들을 알아봅시다.

[수업을 마치며]

5. 오늘 배운 내용을 정리하고 수업에서 느낀 점을 자유롭게 써봅시다.

'설다': 우리 지역 역사 탐험 프로젝트	
대상	초등학교 6학년
교육 목표	우리 지역의 유적지와 문화유산을 통해 우리 지역에 관한 관심을 갖고, 지역의 역사와 문화에 대한 이해를 높인다.
수업 의도	본 학습은 학습자가 우리 지역의 문화유산에 대한 다양한 경험을 통해 우리 지역의 역사와 문화에 대해 이해하고, 지역에 관한 관심을 갖도록 하는 것을 목표로 합니다. 학생들은 우리 지역 문화재와 관련된 수업 교구를 통해 지역의 역사에 대해 학습하고 학생 활동 중심의 현장체험학습을 통해 지역의 역사와 문화를 직접 체험하고 탐구하게 됩니다. 이를 통해 우리 학생들이 우리 지역에 대한 이해를 높이고 자부심을 가지게 될 것으로 기대합니다.

단계	교수·학습 활동
우리 지역과 친해지기	1차시 • 백제역사유적지구, 얼마나 알고 있니? 2차시 • 디지털 영상지도로 만나는 익산
우리 지역 탐구 하기 - ①	3차시 • 미륵사는 어떤 사찰일까? - [활동 1] 창건 설화를 통해 알아보는 미륵사 - [활동 2] 손으로 느껴보는 미륵사 4차시 • 메타버스를 통해 살펴보는 미륵사
경험 하기 - ①	체험 • '백제역사유적지구 100배 즐기기' 프로그램을 통한 왕궁리유적 탐구
우리 지역 탐구 하기 - ②	5차시 • 미륵사지 석탑은 어떻게 만들어졌을까? - [활동 1] 이야기로 알아보는 미륵사지 석탑 - [활동 2] 내 손으로 쌓아보는 미륵사지 석탑 6차시 • 미륵사지의 비밀이 담긴 사리장엄구
경험 하기 - ②	체험 • 국립익산박물관 어린이박물관을 통해 직접 느껴보는 미륵사지

'설다' 3차시 교수·학습지도안		
학습 목표	전해 내려오는 이야기와 자료를 바탕으로 미륵사의 특징 알아보기	
학습 단계	**교수·학습활동**	**자료 및 유의점**
도입	**◎ 학습 동기 유발** ·무언가가 있던 터(흔적) 사진을 보고 무엇이 있었을지 추측하기 ·미륵사에 대해 알고 있는 것 이야기하기 **◎ 학습 목표 확인** 전해 내려오는 이야기와 자료를 바탕으로 미륵사의 특징을 알아봅시다.	자 미륵사지 항공사진
전개	**◎ 〈활동1〉 창건 설화를 통해 알아보는 미륵사** ·영상을 통해 미륵사가 어떻게 세워졌는지 알아보기 **◎ 〈활동2〉 손으로 느껴보는 미륵사** ·가람배치 모형을 이용하여 미륵사 모습 살펴보기  	자 영상자료 자 가람배치 교구
정리	**◎ 학습 내용 정리하기** ·학습을 통해 알게 된 내용 정리하기	

'설다' 5차시 교수·학습지도안		
학습 목표	미륵사지 석탑을 살펴보고 특징 알아보기	
학습 단계	**교수·학습활동**	**자료 및 유의점**
도입	**◎ 학습 동기 유발** ·내가 알고 있는 탑에 대해 이야기 나누기 ·미륵사에 남아 있는 미륵사지 석탑 소개하기 **◎ 학습 목표 확인** 미륵사지 석탑을 살펴보고 미륵사지 석탑의 특징을 설명해봅시다.	자 미륵사지 항공사진
전개	**◎ 〈활동1〉 이야기로 알아보는 미륵사지 석탑** ·영상을 통해 미륵사지 석탑이 어떻게 만들어졌는지 알아보기 **◎ 〈활동2〉 내 손으로 쌓아보는 미륵사지 석탑** ·미륵사지 석탑 모형을 쌓아보며 미륵사지 석탑의 특징 관찰하기 ·미륵사지 석탑의 높이 추측해보기 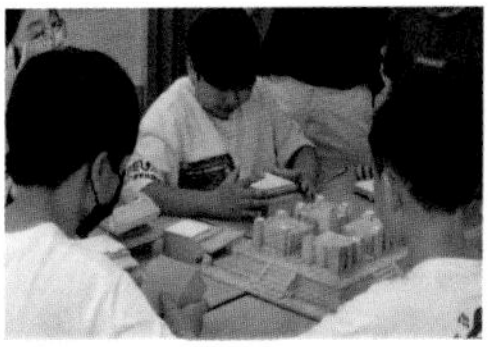 	자 영상자료 자 미륵사지 석탑 모형 교구
정리	**◎ 학습 내용 정리하기** ·학습을 통해 알게 된 내용 정리하기	

교사교육과정의 실천

6학년 우리 학교 사회적 기업을 소개합니다

이리서초 교사 김현숙

6학년 우리 학교 사회적 기업을 소개합니다

이리서초 교사 김현숙

학생 분석

학생들이 사회과목에 대해 지루함을 느끼는 경우가 많아 학생 주도적인 수업을 계획하여 흥미와 관심을 높이고자 하였다. 또한 실생활에서 학생들이 소비를 많이 하지만 생산활동을 경험할 기회가 드물다. 따라서 이번 수업을 통해 가치 있는 생산활동에 직접 참여할 수 있도록 하였다.

교사의 철학

“물고기 한 마리를 잡아주면 하루를 살 수 있지만 물고기 잡는 방법을 가르쳐주면 일생 동안 먹고 살 수 있다”라는 말이 있듯이, 학생들에게 단순히 지식을 알려주는 것을 넘어서 학생들에게 자기 삶의 문제를 해결할 수 있는 경험의 기회를 제공하고자 한다.

즉, 학생들 실생활에 밀접한 주제를 가져와서 주제와 관련된 문제를 능동적, 적극적으로 해결할 수 있는 힘을 길러주고자 한다.

그리고 프로젝트 수업은 교사 혼자 진행하기보다는 동학년에서 함께 진행하면 훨씬 더 풍성해지고 견고해진다. 따라서 이번 프로젝트 활동도 6학년 동학년 협의체에서 함께 연구하며 진행하였다.

교육과정

단순히 생산과 소비의 정의를 아는 것에 그치지 않고 학생들이 사회적 기업의 개념에 대해서 공부하면서 사회적 기업의 의미와 역할에 대해 알아보고 실제로 사회적 기업을 세우게 된다.

학습활동은 크게 3단계 『사회적 기업 세우기 - 사회적 기업 소개하기 - 사회적 기업 운영하기』로 구성하였다. 사회적 기업 세우기 활동에서는 기업의 이름, 가치, 로고, 판매 물품, 마케팅 방법 등을 정하였다. 사회적 기업 소개하기 활동에서는 기업 광고 영상, 발표 자료 등을 만들며 사회적 기업 박람회를 준비하여 자신이 만든 기업을 소개한다. 그리고 사회적 기업 운영하기 활동에서는 '이리 오이소' 플리마켓을 계획하여 전교생을 대상으로 직접 사회적 기업을 운영한다.

사회적 기업 세우기	
 	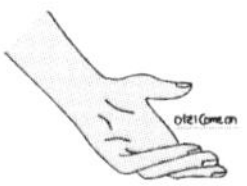
사회적 기업의 종류, 판매할 물품 등을 조사하고 있다.	각자 정한 기업의 이름과 맞는 기업의 로고를 만들었다.

사회적 기업 소개하기	

기업 광고를 제작하고 있다.	사회적 기업 박람회에서 기업을 소개하고 있다.

사회적 기업 운영하기	

'이리 오이소' 플리마켓에서 물건을 판매하고 있다.	

평가 및 피드백

사회 수업이 시작되면 언제나 기운 없는 표정으로 “사회 수업 지루해요”라고 말하던 학생들이 들뜬 표정으로“사회 수업 언제 시작해요? 빨리 하고 싶어요”라고 말하기 시작했다. 의자에 앉아 고개를 푹 숙이고 있던 학생들이 친구들과 이야기하며 자료를 수집하고 정리하기 시작했다. 마지막 활동 ‘이리 오이소 장터’ 하루 전날까지도 걱정이 앞섰지만 학생들은 보란 듯이 잘 해내었고, 준비한 물품 대부분을 판매하였다. 그 이후 수익금을 어떻게 소비하면 좋을지 고민하였고, 반 학생들 모두 아동단체인 초록우산에 기부하기로 동의하였다. 생산부터 소비까지, 모두 학생들이 직접 참여하면서 이루어졌고 이를 바탕으로 올바른 경제의식을 가지며 민주시민으로 성장하기를 기대해본다.

교사교육과정의 실천

6학년 읽기 유창성 훈련

용북초 교사 한수라

6학년 읽기 유창성 훈련

용북초 교사 한수라

학생 분석

3월에 처음 만난 저희 아이들은 에너지가 넘치고 웃음이 넘치는 사랑스러운 아이들이었습니다. 그러나 학습적으로는 많이 위축되어 있고, 자신감이 없었습니다. 다문화 학생 비율도 높은 편이어서 기본 어휘나 일견단어가 부족한 편이었습니다. 실제 읽기 유창성을 진단한 결과(Kolar 40초 읽기 활용) 6학년 평균 학생들보다 낮은 편이었습니다.

교사의 철학

2017학년도 한글문해교육전문가 과정 실행 연수에 참여했습니다. 한글을 읽기 못하는 3학년 '당근이'를 위해 슈퍼비전을 받으며 1년 동안 가르쳤던 경험은 교사로서 많은 깨달음을 주었습니다. 한글만 알게 되었을 뿐인데, 1년 동안 전반적인 자존감과 교과에 참여하는 태도 나아가 교우관계까지 긍정적으로 변화하는 것을 확인했습니다. 그 이후, 저는 학생들이 한글을 읽고 유창하게 읽을 수 있도록 도와 조금이나마 성공경험을 할 수 있도록 돕는 교사가 되고 싶습니다.

교육과정

읽기 유창성을 향상하기 위해서는 정확한 한글 해득이 우선이 되어야 합니다. 즉, 정확한 자모 소리를 알고 있어서 합성하여 읽을 수 있어야 합니다. 이를 바탕으로 소리 내어 정확하고 빠르고 운율감 있게 읽는 훈련이 필요합니다. 매일 꾸준하게 반복하는 것이 매우 중요하기 때문에, 아침 시간과 국어 도입 시간 10분을 확보하여 4월부터 10월까지 꾸준히 실시하였습니다.

1. 한글 소리 정확하게 확인하기

3월 학기 초 한글 해득 진단 결과, 6학년임에도 불구하고 이중모음(예를 '에'로 발음하는 등) 소리를 헷갈려 하고, 무의미 단어를 명확하게 읽지 못했습니다. 따라서 국어 시간에서 담임 재량 시간 2시간을 확보하여 한글 자모 소리를 한 번 더 확인하고 합성 연습을 실시하였습니다. 수업 효과를 높이기 위하여 한글 가족끼리 묶어서 소리를 확인하였고 낱말 자석, 음절 상자 등의 교구를 활용하였습니다.

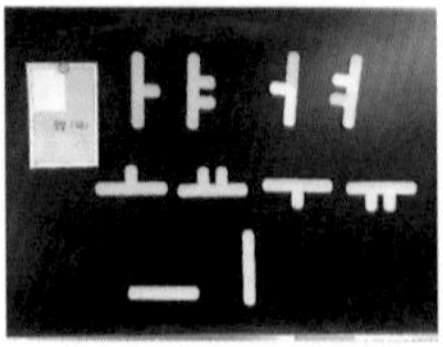

2. 읽기 유창성 훈련하기

두 번째 단계로는 읽기 유창성 훈련을 실시하였습니다. 읽기 유창성 훈련은 단어 수준에서 문장 그리고 글 수준으로 점차 확장할 수 있습니다. 먼저 읽기 자신감 4권(해독)에 제시된 의미/무의미 단어를 활용하였습니다. 소리 내어 읽는 음독의 방식을 기본으로 하였습니다. 교사를 따라 읽고, 학생끼리 읽고, 개인별로 읽고, 짝과 함께 읽는 등 다양한 방법으로 변형하여 지루함이 줄였습니다. 그리고 매번 시간을 재면서 점차 빠르고 정확해지는 것을 확인했습니다.

스마트 기기의 보급에 따라 아이패드를 활용하여 각자 소리 내어 읽는 훈련을 녹음하여 저장하고 교사가 따로 확인하는 방법도 활용하였습니다.

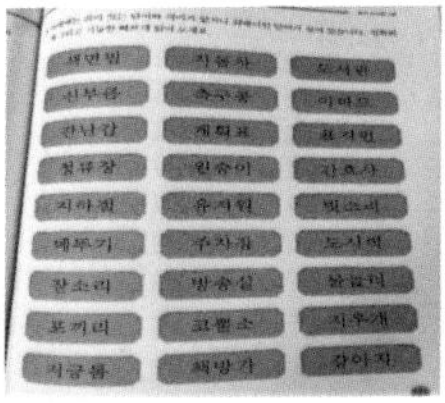

3. 기초 문해력 높이기

읽기 유창성 훈련은 결국 글을 소리 내어 읽는 훈련입니다. 소리 내어 읽는 훈련을 하고 난 다음, 모르는 단어를 찾아보고 그 단어로 자신의 문장을 만드는 활동으로 어휘력을 높이고자 했습니다. 듣고 쓰기 활동도 실시하여 띄어쓰기 및 맞춤법도 확인하였습니다.

이러한 활동을 국어 온작품 읽기 시간으로 확장하여 수업을 실시하였습니다. 책을 정하여 소리 내서 다함께 책을 읽고, 책놀이, 이야기 독서토론, 자전거 여행, 밤샘 독서 등 국어 단원을 재구성하여 기초 문해력을 다지고자 노력하였습니다.

평가 및 피드백

학기 초 진단 결과를 바탕으로 꾸준히 10월까지 훈련한 결과 학생들의 40초 읽기 수준이 6학년 평균 수준까지 도달하였습니다. 뿐만 아니라 교과 전반에서 소리 내어 읽고 이해도가 향상되었습니다. 다만, 앞으로 중학생이 되어서도 더 탄탄한 기초문해력을 다지기 위해서는 학생이 지속적으로 책을 읽는 힘이 필요하다고 생각합니다. 이를 위한 고민이 저에게 숙제로 남았습니다.

학습지

★ 기록:

1차	2차	3차	4차	5차
(함께/혼자)	(함께/혼자)	(함께/혼자)	(함께/혼자)	(함께/혼자)
날짜	날짜	날짜	날짜	날짜
기록	기록	기록	기록	기록

6차	7차	8차	9차	10차
(함께/혼자)	(함께/혼자)	(함께/혼자)	(함께/혼자)	(함께/혼자)
날짜	날짜	날짜	날짜	날짜
기록	기록	기록	기록	기록

★ 새로 알게 된 단어: ____________

뜻	
문장 만들기	

★ 듣고 쓰기 (맞춤법, 띄어쓰기 모두 정확하게 듣고 적어보세요)

①

②

③

교사교육과정의 실천

6학년 나부터 알아가요, 환경수업

익산궁동초 교사 김동신

6학년 나부터 알아가요, 환경수업

익산궁동초 교사 김동신

학생 분석

학생들이 기후 변화와 환경과 관련된 내용은 많이 들어봤지만, 단편적인 내용만 알거나 배경지식이 전무합니다. 특히, 다양한 환경 이슈와 제품에는 관심이 없다 보니 무엇을 해야 할지, 아니 무엇인지도 모르고 있는 현재 상황입니다. 이에 교사는 학생들에게 다양하고 실제적인 환경 문제를 알아보고 이에 기후 변화를 막기 위한 다양한 활동들을 실천해봄으로써 환경을 인식할 수 있도록 해야 할 것입니다.

교사의 철학

우리가 살아가는 지구는 세대에서 세대로 대물림해주는 것입니다. 그렇다면, 학생들의 생각을 변화시킬 수 있는 것은 무엇입니까? 그것은 바로 알고 실천으로 옮겨보는 것입니다. 우리 주변에서 볼 수 있는 환경과 관련한 내용들을 간접적으로라도 알아보고 실제 행동해보는 것! 그래서 교사의 솔선수범으로 직접 실천할 수 있게 하였습니다. 분리배출을 잘하는 것부터 시작으로 해서, 내가 입고 먹고 사용하는 것들에 환경적인 요소가 숨겨있고 담겨있다는 것을 우리 6학년 3반 친구들이 알아가는 소중한 올 한해가 되었으면 하였습니다.

교육과정

1.환경을 알아봅시다.

환경을 알아보기 위해서는 일단 환경을 소재로 하거나 환경과 직접적인 사건, 이슈를 알아보아야 한다고 생각했습니다.

가. 환경 그림책

- 집이 화났다, 그림자의 섬, 나무늘보가 사는 숲에서, 아기 거북이 클로버, 바다 이야기(보림,2014) 등

나. 환경 관련 직업

- 온라인 전기자동차 연구원, 환경 컨설턴트, 재활용 코디네이터, 환경영향평가원, 바이오에너지연구원 등

다. 환경 관련 날짜들

- 2월 2일(세계 습지의 날), 3월 22일(물의 날), 4월 22일(지구의 날), 5월 31일(바다의 날), 6월 17일(사막화 방지의 날), 8월 22일(에너지의 날), 9월 16일(오존층 보호의 날), 12월 11일(산의 날) 등

라. 환경 관련 인물 소개

- 레이첼 카슨, 왕가리 마타이, 제인 구달, 존 뮤어, 그레타 툰베리, 대니 서 등

마. 환경 관련 단체(시민단체 및 국제기구)

- EWG, 그린피스, 씨 셰퍼드, 악어 클럽, PETA 등

바. 환경 관련 다양한 이슈

- 채식, 데이터센터 설립, 패스트패션, 슬로우 건축 등

사. 지속 가능한 개발(SDG, ESG)

2. 환경을 배워봅시다.

환경과 관련된 내용들을 알았으면 우리 생활에서 실천하기 전 학교에서 배우는 것들을 먼저 해보았습니다. 전라북도교육청에서 지원하고 있는 '탄소중립 실천 학급' 사업과 더불어 학습준비물 예산을 더해 풍성한 환경수업을 진행하였습니다. 다양한 교과 내용과 더불어 진행한 수업입니다.

가. 리사이클링/업사이클링/프리사이클링

- 양말목 컵받침 만들기(직조틀 사용 후 손가락 이용)
- 우유팩 카드지갑 만들기(밀키프로젝트)

나. 친환경 미술 수업

- 워터 브러쉬와 친환경 염료를 활용한 수채화 그리기
- 파지를 이용한 물고기 모빌 만들기(출처: 옥이샘)

다. 식물 기르기

- 미세먼지 제거 및 공기정화를 위한 관엽식물 키우기
- 새싹채소를 길러 한 그릇 음식에 첨가해서 먹기
- 버섯 키우기 키트를 이용한 한 그릇 음식에 첨가!

라. 공예 1

- 화학첨가물이 아닌, 친환경 재료를 활용한 비누 만들기

마. 공예 2

- 실내 디자인을 위한 친환경 재룔 이용한 공예품 만들기

바. 환경 관련 로고

- 업사이클링 회사 로고 만들기
- 환경 보호 다짐 그립톡 만들기

3. 더 나은 미래를 위해 실천합시다.

환경 수업을 마무리하며 우리 생활에서 직접적으로 실천할 수 있는 것들이 무엇이 있을지 고민해보았습니다. 그래서 학생들에게 선물과 더불어 우리의 다짐으로, 그리고 실천함과 동시에 환경 보호가 동시에 될 수 있는 것들로 생각해보았습니다.

가. 친환경 학습준비물

- 교사: 크라프트지, 종이 포장지, 탄소발자국 표시 제품 이용
- 학생: 재활용 종이 연필, 친환경 지우개 (친환경 키트)

나. 제로 웨이스트 키트 사용하기

- 스테인리스 집게, 사이잘 수세미, 설거지 바, 소창 행주(친환경 주방 만들기)
- 루파 비누받침, 대나무 칫솔(친환경 화장실 만들기)

다. 먹는 빨대 사용하기

- 석유(플라스틱) 빨대가 아닌 옥수수로 만든 빨대 사용하기 (1인당 3개씩)

자기 평가

1. 교사의 자기 평가

사실, 환경 관련한 수업을 준비할 때 교사인 내 자신도 환경에 대해 잘 모르고 있고, 단순히 수질·대기·토양 오염, 쓰레기 분리 배출 정도로 밖에 생각하지 못했던 제 자신을 다시 한번 되돌아 보는 시간을 가졌습니다. 그래서 교사가 학생들에게 솔선수범하여 실천함을 보여주는 뜻깊은 시간을 보냈습니다. 또한 저도 환경에 대한 관심도 많아짐과 동시에 경각심을 일깨워져서 일상생활에서 사물들과 현상을 바라보는 시각도 달라지기까지 하였으니까요. 처음에 사용했던 이 세상. 다음 세대에게 물려줄 자산이 더 귀하고 온전한 것으로 전해지기를 바라고 우리 모두 노력했으면 좋겠습니다.

2. 학생의 자기 평가

학생 A: 처음에는 환경 교육이라고만 해서 재미없는 시간이라고 생각했는데, 내가 환경에 모르는게 많다는 것을 알 수 있었고, 체험이 많아서 좋았습니다.

학생 B: 간식과 선물을 많이 받아서 좋았습니다. 부모님께 말씀 드려서 친환경 제품을 더 이용하자고 했어요. 다른 친환경 제품들을 찾아봐야겠습니다.

활동 사진

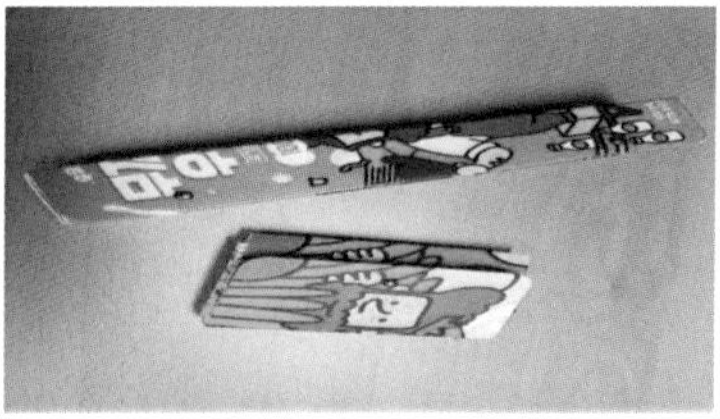

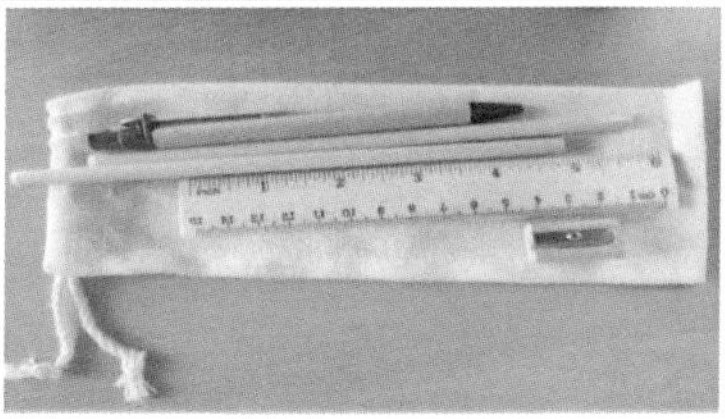
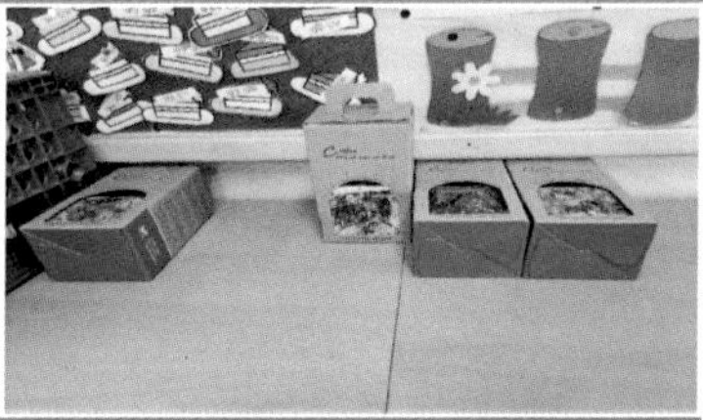

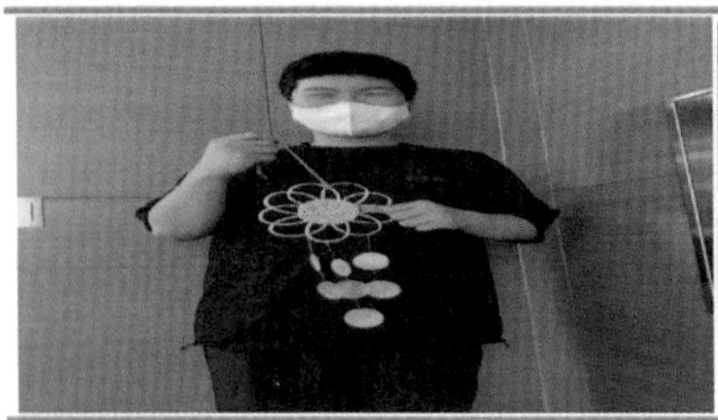

교사교육과정의 실천

(느린 학습자) '너'와 (영어 교사) '나'의 성장 이야기

이리서초 교사 조정희

(느린 학습자) '너'와 (영어 교사) '나'의 성장 이야기

이리서초 교사 조정희

1. 첫 번째 이야기: 영어 교과 보충 프로그램 구성을 위한 솔직한 분석

2023년 3월의 내 머릿속에는……

- 2학년 안전한 생활, 4 & 6학년 영어 전담 교사로서의 한해살이를 시작
- 작년 1학년 담임 교사에서 영어 전담 교사로의 전환에 따른 한해살이 방향성을 고민

2023년 4월의 내 머릿속에는……

- 영어 교과 보충 프로그램을 담당해야 할 상황: 4학년 미도달 2명의 학생과의 만남
- 느린 학습자 *임와 *현의 영어 교과 보충 프로그램 운영 방안 고민: SWOT 분석 시도

S Strength 강점	W Weakness 약점
-10년 전 즈음 영어 더딤 학생 캠프 운영한 경험 -영어 전담 교사로서 영어 교과에 대한 이해도가 담임 교사보다 높은 편	-해당 학생을 일주일에 다인수 학급에서 두 번 만나므로 래포(Rapport)형성이 제한적 -느린 학습자를 지도와 관련하여 스스로 전문성이 부족하다고 판단: 효과적인 지도 방향 설정을 위한 선행 지식이나 선행 경험 부족 -11월 영어 교과 평가의 부담: 과연 느린 학습자 2명이 '도달'을 성취할 수 있을까?
O Opportunity 기회	**T Threat 위협**
-두드림 예산 지원: 교재 및 운영 물품 구입 가능 -일대일 맞춤형 지도: 인지적인 능력 외의 정의적 능력을 향상시킬 수 있는 기회 -담임 선생님들의 긴밀한 협조 -느린 학습자 지도의 전략과 관련된 멘토링 실시: 관련 주제로 한국교원대학교 초등영어 박사 학위를 취득한 권*지 선생님의 조언	-느린 학습자 간의 차이: 인지적 능력 및 정의적 능력의 차이로 같은 공간에서 다르게 지도해야 할 상황 -*현 학생의 돌발행동에 대처 -영어 보충 수업으로 늘어난 주당 22시간 수업 시간의 부담: 2,4,6학년 수업 준비와 결과 정리 및 업무처리로 바쁜 와중에 더 바빠지는 상황, 차분하게 수업 장면을 반추(反芻, Reflection)하면서 모니터링 할 시간이 턱없이 부족

2. 두 번째 이야기: 실제적인 영어 교과 보충 프로그램 구성 및 수정·보완

Q. 나에게 질문 1: 영어 보충 수업이 *임과 *현이에게 또 나에게 과연 의미있는(meaningful) 일인가? 우리는 함께 성장할 수 있을까?

A. 나에게 대답 1: 그렇다.

Q. 나에게 질문 2: 그렇다면 당장 내가 할 일은 무엇인가?

A. 나에게 대답 2: 아이들과 내가 의미있게 성장할 수 있도록 계획을 구체적으로 세우고 실행해 보자.

□ 운영 개요

프로그램	교과(영어) 학습지원교육
운영시간	수요일 13:40~14:20
운영장소	4학년 1 반 교실
참여대상	4학년 3반 *임, 4학년 4반 *현

□ 느린 학습자 분석

순	대상 학생	현재 학습 상태	비고
1	*임	-알파벳의 이름과 음가를 정확히 구별할 수 없음, -알파벳의 대소문자를 구별하여 정확히 쓸 수 없음 -학습한 목표 언어를 단기적으로 기억하나 장기적으로 기억할 때 어려워 함 -내성적인 성격을 나타냄 -타인의 시선을 의식하면서 말과 행동을 제한하므로 자신감이 부족함	여학생
2	*현	-알파벳의 이름과 음가를 정확히 구별할 수 없음, -알파벳의 대소문자를 구별하여 정확히 쓸 수 없음, -영어 학습 중 주의력이 짧음 -행동이 전반적으로 매우 느림 -다문화 가정에서 자라서 한국어 학습이 매우 더딤: 한글 문해력이 낮아서 방과 후에 맞춤형 한국어 학습 프로그램에 참여하고 있음 -학습 중 책을 숨기거나 QR 코드를 지우거나 알아듣기 어려운 소리를 내는 등 이유를 알 수 없는 돌발행동을 나타내기도 함.	남학생

□ 연간 지도 계획 및 수정 전략

학기	월	학습지원 계획		비고(총 30차시)
1	4	계획	- 알파벳 철자 이름 인식 및 음가 익히기(Phonics) - 단어의 첫소리 구별하기 - 기초 영어 단어 쓰기 - 간단한 문장 읽기	3차시 운영
		1차시 수업 후, 수정한 수업 전략	#1. 선택과 집중: 40분은 짧다! 핵심만 정확히 지도하자!, 간단한 문장 읽기는 빼자.	
			#2. 파닉스 집중 지도가 필요하다: 관련 교재 및 동영상 활용, 알파벳 조음 방법 모델링(Modeling) 및 개별로 조음 교정(Correction)하기	
			#3. 알파벳을 그리지 말고 획순에 맞게 손으로 쓰는 방법을 지도하자: 특히, 소문자 a, q를 그리지 않고 손으로 자연스럽게 쓰도록 지도하자!	
	5	계획	- 때에 알맞은 인사말 익히기 - 안부를 묻고 답하는 말 익히기 - 다른 사람을 소개하는 말 익히기 - 처음 만났을 때 하는 인사말 익히기	4차시 운영
		1차시 수	#1. 두 학생의 목표 언어 습득 속도가 상당히 다르다. 시간을 효율적으로 활용하면서 개별화 지도할 수 있는 방법을 찾아 보자. (나에게	

	업후, 수정한 수업전략	부여하는 과제)	
		#2. 천 리 길도 한 걸음부터: 파닉스는 꾸준히, 한 두 개의 영어 단어라도 뜻을 정확히 구별하도록 지도하자.	
6	계획	- 물건의 위치를 묻고 답하는 말 익히기 - 반복을 요청하는 말 익히기 - 감정이나 상태를 묻고 답하는 말 익히기 - 감정이나 상태를 표현하는 낱말 익히기	
	1차시 수업후, 수정한 수업전략	#1. 두 학생은 기억을 돕기 위해서 노래와 TPR(전신반응교수학습법)을 활용하자!	4차시 운영
		#2. 학습한 목표 언어를 자주 발화해서 습득하도록 의도적으로 자주 질문하고 대답의 단서(Cue)를 주자!	
7	계획	- 시각을 묻고 답하는 말 익히기 - 시각에 따른 일과를 나타내 말 익히기	3차시 운영
	1차시	#1. 숫자를 영어로 표현할 때 너무 어려워한다. 모형 시계를 이용해서 시각을	

		수업 후, 수정한 수업 전략	우리말로 말하고 영어로 바꿔 말하도록 옆에서 응원하면서 지도하자.	
			#2. 시각에 따른 일과를 나타내는 어구를 발화할 때 몇 개의 단어를 자꾸 빼먹는다. 단어 학습할 때보다 어구 학습할 때 학습 부담이 가중되니 매 차시에 한두 개씩 추가하는 방향으로 지도하자.	

학기	월	학습지원 계획		비고 (총 30차시)
2	9	계획	- 제안하고 답하는 말 익히기 - 동의를 표하는 말 익히기 - 지금 하고 있는 행동을 묻고 답하는 말 익히기	
		1차시 수업 후, 수정한 수업	#1. 알파벳을 구별하고 음가를 비교적 정확히 조음할 수 있다. 계속 칭찬하고 단어에서 각 음가가 어떻게 소리 나는지 주의를 기울이도록 안내하자.	4차시 운영
			#2. 어구를 이용하여 문장을 표현할 때 부담스러워한다. 게임을 이용하여(메모리 게임, 해적 룰렛 등) 학습한 문장을 발화하도록 유도하자.	

	전략		
10	계획	- 원하는 것을 묻고 답하는 말 익히기 - 음식을 권하고 수락하는 말 익히기 - 요일을 묻고 답하는 말 익히기	5차시 운영
	1차시 수업 후, 수정한 수업 전략	#1. 핵심 목표 언어를 제한된 시간 내에 효과적으로 학습하기 위한 학습지 개발이 필요하다.	
		#2. 단순히 문장을 읽고 쓰는 연습보다는 대화의 상황을 이해하고 문장 패턴을 스스로 파악할 수 있도록 유도하자.	
		#3. 학습의 내적 동기를 자극할 수 있도록 구체적으로 칭찬하고 격려하자.	
11	계획	- 주인을 확인하고 답하는 말 익히기 - 물건의 특징을 설명하는 말 익히기 - 동작을 지시하는 말 익히기 - 도움을 요청하는 말 익히기	4차시 운영
12	계획	- 좋아하는 여가 활동을 묻고 답하는 말 익히기 - 느낌을 표현하는 말 익히기	3차시 운영

3. 세 번째 이야기: 나에게 전하는 메시지

영어 보충 지도는 쉽지 않은 도전이고 아직도 진행형이다. 어떠냐는 질문에 나는 부담되고 어렵다라고 말하겠지만, 이 도전이 마냥 싫지 않다. 교사의 최고의 보상(Rewarding)은 학생의 성장이고 작지만 성장하는 하나하나가 모두 다 소중하기에 이러한 과정은 교사가 가르치는 동기를 강하게 부여잡을 수 있게 한다. 아동학대 등 가르치는 기쁨을 앗아가는 요인들이 그 어느 때보다 난무하여 가르치는 시간이 힘들게 느껴지지만, 두 느린 학습자와의 한 해살이의 마무리를 앞둔 나는 이 시간이 좀 더디게 갔으면 하는 바람이 있다. 내가 속도를 늦추고 *임이과 *현이의 속도를 맞추려고 노력하면서 어느새 우리 세 명은 서로의 속도를 이해하고 서로의 성장을 응원하고 있다. 이런 과정이 좋고 또 좋다.